JN269330

はじめに

本書は、これから社会に旅立つ、あるいは旅立ったばかりの若者が、非情で残酷な日本社会を生き抜くための、「ゲリラ戦」のすすめである。

2011年現在、日本の経済は冷え切っており、そこから回復するきざしはどこにも見えない。

求人の状況も最悪だ。リーマンショック以降、日本の大手企業は求人の数を大幅にしぼり、有効求人倍率は0・5倍前後を推移している。これは職を求める人に対して、半分ほどしか仕事の口がないことを意味する。

「ブラック企業」と「就職ビジネス」

とくに悲惨なのが、新卒で社会に出ようとしている学生たちだ。

少しでも安定した就職先に入りたい新卒学生の多くが、数名から数十名の求人しかない一流企業に殺到。その結果、大企業はどこものきなみ数百倍の倍率となり、何十社受けてもひとつも内定が出ない学生が大量に溢《あふ》れるようになった。

連日のように新聞やテレビでは学生の就職状況の厳しさが伝えられ、卒業を控えた学生のうち、半分近くが就職浪人状態にあるとも言われている。

一方でそうした学生や若い人々を「食い物」とするビジネスも出てきた。

いわゆる「ブラック企業」と呼ばれる会社がそれだ。そうした会社では、一度に大量の新入社員を採用するが、過酷な労働条件に見合わない安い給料で若い人々をこき使い、ある程度の期間が経《た》ったところで使い捨てる。「正社員」という甘い言葉で集めた安い給料で雇える若い労働力を現場で酷使し、収益を上げることが会社存続に必要なビジネスモデルとなっているのである。

先物取引やマンション投資などの営業会社、レストランや居酒屋チェーンなどの外食業界、最近ではＩＴ関係や広告など幅広い業界に見られるが、そうしたブラック企業の多くは、根性と体力さえあれば誰にでもできるような仕事を社員に課す。そのため、数年働いたところでより高いキャリアにつながるような人脈やビジネススキルを身につけることができない。だから使い捨てられた若手社員は、次の仕事を探そうとしても自分の「売り」となる実績やスキルがないため、また人を使い捨てるブラック企業に就職することとなる……。

そうした学生の不安につけこむ「就活ビジネス」も盛んだ。エントリーシートの書き方から就職面接の受け方、いつ果てるとも知れない自己分析、ツイッターやフェイスブック、iPhoneといったデジタルツールを使った就職活動のハウツー等々、「これをやらねば就職できない」と学生たちの不安を煽《あお》ることでビジネスにつなげようとする会社が山のように出てきた。

さらに最近では、日本の学生ではなく、中国や台湾、韓国、シンガポールなどアジア圏の優秀な学生を採用する日本企業が続々と出てきている。

パナソニックへと社名を変え、グローバル企業として躍進を図る松下電器産業は、2010年度の採用の8割が外国人になったと発表した。日本を代表する会社のひとつであるパナソニックがグローバル採用に踏み切ったこともあり、多くの企業がそれに追随《ついずい》した。リクルートをはじめとする人材ビジネス企業も海外の優秀な学生を採用するセミナーを企画するなど、日本の学生はすでに海外の学生とも職を奪い合う状況となっているのである。

要領のいい学生は、そうした厳しい潮流の中でも巧妙に就職活動を乗り切り、何社もの一流企業から内定を得ている。しかしほとんどの学生は数十社にエントリーシートを送っても、いくつウェブテストを受けても内定がもらえない。なかには疲れ果てて就職活動自体をやめてしまい、卒業後はフリーターや派遣社員の道に進む人も少なくない。

「格差社会」という言葉が日本で盛んに使われ始めてから5、6年が経つが、これからますます富める者と貧しい者の差が広がってくるであろうことは、現状を見る限りほぼ間違いないと言えるだろう。

「希望」は自分で作り出せる

日本は、いったいどうしてこのような事態になってしまったのだろうか？　こういう事態を引き起こした犯人は、いったい誰なのだろうか？

そう憤《いきどお》る人も多いことだろう。しかし怒ったところで、状況が好転するわけではない。

私が本書を執筆することにしたのは、こうした厳しくなる状況の中で、一人でも多くの学生や若い人々に、この社会を生き抜くための「武器」を手渡したいと考えたからである。日本がこのような経済的に厳しい状況に陥《おちい》り、若者の未来に希望が感じられない世の中になったことをいつまでも嘆《なげ》いていても仕方がない。それよりもなすべきことは、このような厳しい世の中でもしたたかに生き残り、自ら新しい「希望」を作り出すことである。

先ほど、有効求人倍率が0・5倍前後と述べたが、実はそれは大手企業に限った数値である。従業員100人以下の名の知られていない中小企業の求人倍率は、リクルートワークス研究所の調べによれば、2010年現在で、なんと4・5倍。大手に比べて9倍、学生一人に対して4・5社もの就職先があるのである。

もちろんその中には、先に述べたブラック企業のように給料が安く、人を使い捨てることしか考えていない企業も含まれるであろう。だが同時にそれら中小企業の中には、今は小さくとも、かつてのソニーやホンダ、グーグルやアップルが一ベンチャー企業にすぎなかったのと同じように、未来の世界で大きく躍進する企業も存在するに違いないのだ。

願わくは若い人々には、「寄らば大樹の陰《かげ》」という思考ではなく、将来グーグルやアップルの地位を奪うような企業の一員となり、自らの手で夢を現実にしてもらいたい。そのために私がアドバイスできることを、できるだけ分かりやすく、この本で執筆したつもりである。

世の中は目まぐるしく変化、どころか激変を続けている。かつてもてはやされたビジネスモデルも知識もすぐに陳腐化《ちんぷか》し、個々人が努力すべき方向も不明瞭《ふめいりよう》な時代となっている。しかし少なくともほぼ確実に言えるのは、我々が生きる21世紀の日本は、ますますグローバル化する資本主義の潮流に呑《の》み込まれていくだろうということだ。その波に呑まれず、生き延びるためには、まず、この「資本主義2・0」ともいうべき世の中の「ルール」を熟知しなければならない。本書で私が述べることの中心は、この十数年で日本に本格的に到来した資本主義の新しい流れと、その世界をサバイバルするために絶対に必要な「投資家的に生きる知恵」だ。

資本主義の中で生きるために「ゲリラ戦」を戦え

前置きが長くなったが、本書は、一人の投資家である私がこれまで実践してきた「投資家的な生き方」のすすめである。

投資家的に生きる、というと、ベストセラーとなった『金持ち父さん貧乏父さん』（筑摩書房）を思い浮かべる人もいることだろう。あの本は、ビジネスや不動産を所有することで、いかに不労所得を増やすか、というテーマの書物である。

発売以来すでに10年以上が経過しているが、あの本を読み、書いてあることを実践して、「不労所得で大金持ちになることができた」という人の話を聞いたことはいまだない。私も一人の投資家だが、あの本に書いてあることをそのまま実践できる人がいるとは、とうてい思えないのが正直なところだ。

大切なのは、不労所得を得ることではない。投資家的に考える、ということなのだ。

それはよくあるインチキ臭い投資の本のように、「今すぐ投資信託やＦＸ取引を始めよう」ということではない。「投機」ではなく、「投資」の考え方を身につけること。「投機家」ではなく、真の意味での「投資家」になることだ。一攫千金《いっかくせんきん》を狙うのではなく、自分の時間と労力、そして才能を、何につぎ込めば、そのリターンとしてマネタイズ＝回収できるのかを真剣に考えよ、ということなのだ。

重要なのは、まず資本主義の本質を理解すること。そして、そのメカニズムを正確に認識し、日々刻々と変わる情報を察知して、インプットを変えることで、アウトプットである自分自身の行動を具体的に変えることだ。

幕末から明治維新の時代。また軍国主義から敗戦を経て、日本が民主主義国家となっていく時代。歴史を振り返れば、新しい時代の夜明け前には、必ず長く厳しい「冬の季節」があった。

そして閉塞《へいそく》した状況を切り開き、新たな希望を生み出してきたのは、いつの時代も既存のエスタブリッシュメントから排斥《はいせき》された若者たちだった。太平洋戦争の開始から70年が経つこの２０１１年現在の日本は、またしても未曾有《みぞう》の混乱の時期を迎えている。

3月11日に東日本を襲ったマグニチュード9・1の大地震と大津波、それによって引き起こされた福島県の原発事故。この「戦後最大の日本の危機」を、我々は乗り越えていかねばならない。このような先が見えないときこそ必要なのは、正規軍の戦い方ではなく、状況に応じて臨機応変に戦術を変える、「ゲリラ」の戦い方なのである。

アメリカ独立戦争、明治維新、中華人民共和国の建国……。歴史が大きく変わる戦いにおいて、ゲリラが正規軍に敗北したことはない。

本書では、私が投資家として、またさまざまな企業の経営に関わる中でつかんだ、高度資本主義の世界で生きるためのゲリラ戦の要諦《ようてい》を伝えたいと思う。

それでは、講義を始めよう。

瀧本哲史《たきもとてつふみ》

僕は君たちに武器を配りたい

もくじ

第1章　勉強できてもコモディティ

京都大学の医学部生が「ワーキングプア」に？

私が京都大学の学生たちを相手に、「起業論」を指導するようになって４年が経った。教えているのは、成功したベンチャー企業のケーススタディを中心とした、実践的な起業論である。しかし内容は起業の話に留《とど》まらず、「大学を卒業後、どうやって自分の価値を、資本主義の世の中で高めていくか」というのが大きなテーマとなっている。

私は大学を卒業後、マッキンゼーという名門の大手コンサルティング会社に勤務し、コンサルタントとしてさまざまな業種・業界を見てきた。その後、知人とともに独立し、いくつかの会社を経営するかたわら、投資家としても活動している。

国内外の有望な企業に個人の資産を投資し、時にはその経営にもアドバイスしたり、私の持つネットワークを紹介するなどしている。こうした積極的に経営にも参加する個人の投資家を欧米では「エンジェル投資家」と呼ぶが、日本国内ではまだまだ一般的な存在ではない。

そうした経歴の私が、大学で教えるようになったのはなぜかといえば、その背景には日本の大学、ひいては日本の経済環境が大きく変わったことがある。

ここ数年、日本の大学は、どんどん国からの補助金が減らされている。平均すると年率で1%、医学部においては2%近くの削減が続いている（5年で10%減）。私立、国公立を問わず予算は厳しくなる一方だ。

そのため多くの大学が、これまで培ってきた知的財産や研究機関を生かして、外部の企業や団体と連携したり、あるいはベンチャービジネスを立ち上げることにより、収益を上げることで生き残りを図ろうとしている。

私が勤める京都大学も例外ではない。共同研究を行うだけではなく、企業にたいして技術特許をライセンスしたり、学生や研究者、卒業生の起業を支援するなど産学連携の新しい道を模索している。

私の授業もその一環だ。学生に資本主義の仕組みを教えるところから、どのようなテーマで起業すれば良いのか、どのように資金調達するのか、どのように市場開拓していくのか、どのようにビジネスパートナーを集め協調していくのかなどを教えている。

それと同時に、資本主義の仕組みの中で、どうすればより良い職場環境で働くことができ、継続的に高い報酬が得られるのか、私自身の実体験と古今東西の事例に基づいて授業を行っている。こうした問題については安直で簡単な正解があるわけではない。したがって、さまざまな実例をもとに、どのようにすべきか議論をする形式で授業を行っており、ハーバード大学のサンデル教授の「白熱教室」が話題になる遥《はる》か前から、幸いにも人気講義として学内メディアでも取り上げられるようになった。

その指導を始めて、しばらく経ってからのことだ。

あるとき私の授業を選択した学生の学部を調べてみたところ、驚いた。なんと学部別の割合で見ると、医学部の学生がもっとも多く私の授業を受けていたのだ。

京都大学の医学部といえば、受験業界では東京大学の医学部と双璧《そうへき》をなす最難関の学部として知られる。また医者という職業も、昔から、高い報酬と社会的地位が得られる仕事の代表格である。

難しい試験をくぐり抜けてきた医学部の学生たちは、もちろん医療という仕事の社会的役割や、やりがいに魅力を感じていることは間違いない。しかしそれだけではなく、医師国家試験に合格して医者になれば、一生職に困ることもなく、裕福で安泰《あんたい》な人生を送ることができる、というキャリア的な考えもきっと持っているだろう。

高学歴、高い地位、高収入、三拍子そろった将来の約束されたように見える医学部の学生たち。なぜ彼らは、起業について教える私の授業を受けようと考えたのだろうか。不思議に思い、学生たちにヒアリングしてみると、彼らが自分の将来に明確な不安を抱いていることが判明した。

「この国では将来、医者になっても、幸せにはなれない」そう彼らは感じていたのである。

現在の日本では、医者が余っている状況にある。大病院の研修医の労働環境の厳しさや、魔女狩りのような医療訴訟。毎日の激務と責任の重さには、とうてい見合わない報酬。厚労省の無責任体質と開業医間の患者の奪い合い。医師を取り巻く悲惨な状況は、さまざまな報道を通じて広く知られるところとなった。

彼らはメディアが報じるニュースだけでなく、リアルな実感を経て、「これからますます医者は買い叩《たた》かれる存在になっていく。これまでと同じような努力をしても報《むく》われそうにない」と気づいたのだ。

そこで彼らは、医療の勉強をキャリアに生かすため別の道がないか考え始めた。最先端の医療研究を事業化する方法がないか。故郷の病・医院を継いだ場合でも、どうすれば他の医療施設と差別化できるのか。

しかし、そうした医療の技術を新しいビジネスとつなぐノウハウは、旧来の医学部の授業で十分に教えているとはいえない。「医は仁術《にんじゅつ》」であるべし、という考えから、だろうか。そこで、医療崩壊がメディアを騒がせた年の学年では、実に京大医学部の約40％にものぼる学生が、投資家である私の提供する授業を受けていたのである。

かつて高給な仕事の代名詞であった医師が、現在ではいわば「ワーキングプア」の仕事となりつつあるのである。

それればかりではない。後に詳述するが、医者に代表される高学歴の人々が職に迷う状況は日本だけではない。世界中の先進国で、高学歴・高スキルの人材が、ニートやワーキングプアになってしまう潮流が押し寄せている。

これまで大学が伝統的に提供してきた、「知識をたくさん頭脳につめこんで専門家になれば、良い会社に入れて良い生活を送ることが可能となり、それで一生が安泰に過ごせる」というストーリーが、世界規模で急激に崩れ去っているのである。

必死で知識を身につけても買い叩《たた》かれる

それなのに、ここ最近の日本では、「勉強して努力をすれば必ず幸せになれる」という考え方が、あらゆるメディアを通じて流布された。

書店に行けば、ビジネス書のコーナーに自己啓発書が山と積まれ、ベストセラーランキングの上位を「勉強本」が占めるようになった。また「朝活《あさかつ》」などと称して会社が始まる前の時間にサラリーマンが集まり、読書会や勉強会、異業種交流会を開くことが一種の流行となっている。大学の他に専門学校などダブルスクールに通う学生も少なくない。

社会に出ても勉強しなければ置いていかれる、幸せになれない、とばかりに勉強に打ち込む社会人の姿を見ていると、ある種の「修行」のようにも感じるほどだ。

実際、ビジネス書や自己啓発書の著者の中には、いわば「教祖」ともいえる存在が何人もいる。ベストセラーとなったそれらの著書では、英語やＩＴ、会計知識を身につけて資格試験に合格すれば、個人のキャリアアップにつながり、年収が何倍にもなる、幸せになれる、そうしたストーリーが繰り返し述べられた。

しかしそうした「努力神話」を信じて、英語やＩＴや会計を勉強した人のうち、実際に年収が増えた人はどれくらいいたのだろうか。

おそらくほとんどいないはずだ。

確かに、英語の点数が高い人は年収が高いという相関関係を示す研究はいくつか存在する。

しかし、それは、もともと高学歴な人や語学教育に投資をする余裕がある会社の従業員の年収が高いことによる、疑似因果関係の可能性も否定できない。

ＩＴスキルと呼ばれるものが何を指すかはあいまいだが、ワードやエクセル、パワーポイントといったオフィス系のソフトを使える人はあまりにも多く、それでは違いは生まれない。プログラミング能力も同様である。

私の友人でインドでのシステム開発を請け負《うお》う会社の営業担当者は、日本人の作業単価が下がりすぎて、インドの優位性が次第になくなりつつあると嘆いていた。

物価の高い日本でインド並みの労働対価でも働く人がいるということは、それだけ「ＩＴスキル」の価値が下落しているということだ。

簿記や会計の知識も同様。それを勉強する人があまりに多いので、会計士も税理士も、医者と同じように「人余り」の状況になっている。

つまり、現在のビジネスパーソンを取りまく状況を正確に分析すれば、「語学や会計知識、ＩＴスキルの習得と、収入の増加には、実際には因果関係がない」という結論になりそうだ。

つまり、勉強（努力）と収入は比例しない。残念ながら、それが今の日本の現実なのだ。

空前の勉強ブームは『学問のすゝめ』の再来

実は、このような空前の勉強ブームが日本に起こったのは、これが初めてのことではない。同じく「勉強が大切である」と人々に努力の大切さを説いて、130年前に300万部以上売れた大ベストセラーがある。

その本とは、明治初期に福沢諭吉が発表した『学問のすゝめ』だ。

当時の日本の人口は3000万人程度、そのうち文字が読める人は1000万人程度だったといわれている。つまり300万部という数字は、現在の本に換算すれば、1000万部クラスの驚異的なベストセラーであったといえる。

同書でいちばん知られているフレーズは、なんといっても「天は人の上に人を造らず、人の下に人を造らず」という言葉だろう。

この言葉については、トーマス・ジェファーソンが起草したアメリカ合衆国の独立宣言を意訳した、とも言われているが、人間の平等性を高らかに宣言した名文として、同書での発表以来、多くの人々に引用され、今では日本人のほぼ全員が知る言葉となっている。

しかしこの言葉には、続きがある。いや、裏があると言ってもいいだろう。

実は、福沢諭吉が『学問のすゝめ』という書物によって伝えたかった真意は、「人間は平等である」ということではない。

彼は、「学問をすることで人間には差がつく」と宣言したのだ。

同書で福沢が主張したのは、つまるところ「人間は学問を修《おさ》めれば幸せになれる。学問をしなければ不幸になる」ということだった。なぜ彼は、そう主張したのか。

その背景には、彼が自らの理想の体現として、現在の慶應義塾大学のもとになった慶應義塾に心血を注いだことと関連がある。当時の庶民が勉強する場といえば、古くからある寺子屋か、官学が一般的だった。そこで学べるのは古臭い儒教思想や、漢文の素養といった実生活には役立たない知識ばかりであった。

それに対し福沢が作った慶應義塾では、最新の西洋の学問を教えており、役に立たないことばかり教えている官学とは違って、実用的なことを学ぶことができる。だから福沢は、前途ある若者に、ぜひ慶應義塾に入学してほしい、そして、身分制社会を壊してほしいというメッセージを同書に込めたのだ。つまり同書は、慶應義塾の「宣伝本」でもあったのである。

もうお分かりだろう。昨今の勉強本ブームも福沢と同様に、ブームを作った「仕掛け人」が「ビジネスのために」起こしたのである（「はじめに」で述べた大ベストセラー『金持ち父さん貧乏父さん』も、巻末に著者が開発した「遊びながらお金の知識を得られるボードゲーム」の広告が載っているのはけっして偶然ではない)。

『学問のすゝめ』以来、「良い大学に入り、良い会社に入れば、人生は安泰」という学歴信仰が、長年日本社会を広く覆ってきた。日本の歴史を振り返れば、江戸時代まで存在した身分制度が明治維新でなくなった後、現在まで人々に「格差」をつけてきたのは学歴だった。いわば身分制度の代わりを学歴が果たしてきたといえる。

しかし、戦後も高度経済成長期から今日にいたるまで続いてきたこの学歴信仰は、バブル崩壊後の「失われた20年」、つまり平成の時代で完全に崩れ去った。良い大学を出ても一流企業には入れない。入ったところでいつ会社が潰《つぶ》れるか分からない。さらに大学進学率が50%を超えるようになり、学歴だけで人に差をつけることはもはや無意味となった。

そこで従来の大学で教わる学問以外の勉強、つまり「実用的な英語」「ITスキル」「会計知識」がクローズアップされたのである。「従来の大学で学ぶような勉強はもう役に立ちません。今の時代に真に必要な知識を得れば、他の人よりも幸せになれます」というストーリーを「仕掛け人」が作り出したのだ。

現代の勉強ブームの「仕掛け人」たちは、「これからの知識社会では、学び続けなければ生き残れない」と世の中の人々を煽った。

前述のように彼らが「これから必須の知識」として、その重要性をことあるごとに吹聴《ふいちょう》したのが、「英語」と「IT」と「会計」の知識である。

いわゆるビジネス書の著者を何人か思い浮かべてほしい。彼らは、異口同音にこれらのスキルを身につけることを強く推奨している。

ブームを煽ったのは彼らだけではない。電車に乗れば英会話学校の広告を見ない日はなく、転職雑誌を見れば「TOEIC何点以上」といった条件が課せられ、いやがおうにも英語をはじめとする「資格」を取らねばならないのではないか、と多くのビジネスパーソンが思い込まされた（ちなみに、TOEICは日本と韓国においてのみメジャーな英語テストである）。

これは一種の「不安解消マーケティング」と呼ばれる手法である。福沢諭吉の時代も明治維新後の動乱期だったが、社会が不安定化したときには、必ずこうした人々の不安を分かりやすく解消する方法が受け入れられやすくなる。何が正しいか分からないからこそ「これさえあれば」が受けるのである。

学歴信仰が壊れ、経済のグローバル化が急ピッチで進み、日本人同士のみならず外国人との間でも職の奪い合いが始まっている今の日本は、明治維新以来の不安定な時代となっている。

そういう時代だからこそ、ますます安定した道を求める心理も昂《こう》じて、誰もが「資格を得れば安心できる」というストーリーに乗ることを欲したのだろう。

かくして書店には「勉強本」が山と積まれるようになり、勉強しなければ社会人にあらず、という風潮が一般的となったのだ。

司法試験に受かっても「ノキ弁」にしかなれない

先ほど私は、「いくら勉強してもそれがすなわち、収入の増加に結びつくとは限らない」と述べた。その理由について、もう少し詳しく説明したい。

今の世の中、つまり高度に発達した資本主義の下では、必死に勉強して「高度なスキル」を身につけてもワーキングプアになってしまう。それは、かつて高収入を得られた付加価値の高い職業が、もはや付加価値のない職業へと変わりつつあることに起因している。

例として、最近の外資系企業への転職市場を見てみよう。

人気の外資系企業に応募する男性がいたとしよう。その彼が「自分は英語が得意です。TOEICのスコアが900点あります」と面接で主張したところで、一流外資系企業を受ける応募者の中には、TOEIC900点レベルの英語力を持つ人材は、山のようにいる。だから英語力があることだけでは、自分を差別化する要因にはまったくならない。昔はもてはやされたMBA（経営学修士）も、ハーバードやスタンフォードなどの名門大学で取得したならともかく、日本国内でもMBAが取得できるビジネススクールが乱立した今では、資格を持っているだけでは珍しくもない。

そのほかの資格に関しても同じことがいえる。難しい試験の代表格だった司法試験も、ロースクールが日本中にできて、合格者数も大幅に増えたことから、需要と供給のバランスが崩れ、現在では「弁護士が余る」という状況になっている。

昔は司法試験に合格しても、自分一人で仕事が得られず、どこかの事務所に入って働く弁護士のことを「イソ弁」（居候弁護士）と呼んだ。今はそれがさらに進んで、給料ゼロで事務所の「軒先《のきさき》」だけを貸してもらう弁護士のことを「ノキ弁」と呼ぶ。事務所にすら入れてもらえず、必要なときに呼び出される弁護士は、「野良《のら》弁」と呼ばれることすらあるそうだ。

就職に苦労しないといわれてきた理系・工学系の仕事にも、地殻変動が起きている。

たとえば建築家という職業は、昔から理工系の人気の職業のひとつである。大学の建築科を出て、一級建築士の資格を取り活躍することを夢見る高校生は、毎年たくさんいる。これまで彼らのほとんどが、大学で建築を学んで資格試験に合格し、事務所なりゼネコンに入れば建築士として一生安泰に過ごせると信じてきた。

ところが、現在の日本の建築業界はそんな甘い状況ではない。公共工事は減る一方、いつ終わるとも知れぬ建築不況の中にあり、建築事務所同士で仕事を奪い合っているような状態だ。そのため、大学を出たての建築士に仕事を回すような余裕はまったくない。

そこで新人建築士の間では、「机貸し」といって、事務所の仕事をタダで手伝いながら自分の仕事を探すというのが一般的になっている。それでは当然食べていけないので、彼らの多くがアルバイトをしているのだが、なかには自分の事務所が設計した建築物の工事現場で肉体労働をしたり、女性の建築士が夜はキャバクラで働いたりしているといった話すら聞く。

このように、勉強して高学歴を手に入れ、高スキルの職業に就《つ》けば人生が安泰であるというのは、ほとんどの業界において崩壊している。前述したように、医師ですら事実上のワーキングプア状態で働いている人がたくさんいるのである。

インターネットが劇的に下げた「教育コスト」

英語ができることが差別化の要因とならなくなった原因はほかにもある。

少し前までは、日本人で英語ができる人は、それだけで仕事に就くことができた。日本人だけでなく、アメリカやイギリスから来た旅行者も、英語が話せるというだけで、ベルリッツやNOVA（2007年に一度倒産した）などの語学教室で、講師の仕事を得ることができた。英語ができて、日本語が話せるだけで、市場に評価される価値があり、そこそこの時給が稼げたのだ。

ところが最近、「レアジョブ」というサイトに代表される、インターネットを使った英語学習のビジネスが登場した。レアジョブは、ネットのテレビ電話「スカイプ」を通じて、フィリピン最難関の名門・フィリピン大学の優秀な学生と、自分が好きなときに会話ができる、というサービスである。開発したのは、1980年生まれの日本人起業家だ。サイトを覗《のぞ》いてみると、若い男女のフィリピン人学生の中から自分が話してみたい人を自由に選べて、都合の良い時間に会話ができる。

日本の英会話学校の多くは、事前に数十万円の授業料を払い込んで初めて授業が受けられる。それに比べレアジョブは、ネット上のクレジット決済で月3000円からという圧倒的な低価格。しかも一日25分、月5000円で毎日話せるという便利さで、サービス開始以来、すごいスピードで伸び続けている。

なぜこのようなサービスが可能になったかといえば、フィリピンではネイティブに近い英語が話せる高学歴の人でも、まったく仕事のない状況にあるからだ。日本とフィリピンの通貨レートの違いから、日本円にして時給数百円の仕事でも、フィリピン人の若者にとっては自国で働くより割のいいアルバイトになる。

こうしたサービスが出てきたことから、これまでアメリカやイギリスの中途半端な大学を出て、「どうやら日本では英語が話せるだけで職にありつけるらしい」と考えて日本に来た英会話学校の教師たちが、次々に失業を余儀なくされているのである。

日本人はいつまで経《た》っても英語がうまくならない。結局、英語学習でボトルネックとなっているのは、文法や基本単語をしっかり押さえたあとの、ヒアリングとスピーキングの学習量が圧倒的に少ないということだ。語学の学習は毎日やらなければ、効果が出ない。海外に行くと語学が上達する理由は、英語に触れる絶対量が日本国内にいるときとは比較にならぬほど多くなるからである。

英語を真剣に上達させようと思うなら、日本語をいっさい聞かない、読まない、見ない「三重苦」の環境に身を置くのがいちばん。日本語をやめて、ひたすら英語だけに触れるようにすると上達速度は飛躍的に高まる。小刻みでも、毎日英語に触れる習慣をつけることが大切なのだ。

そして、レアジョブはそのコストを爆発的に下げる方法として、海外のフィリピンの優秀な学生を使ったところが革命的だったのである。

家庭教師も世界的な競争に

同じようなことが、英語学習だけでなくほかの勉強の分野においても当たり前のように起きている。たとえば、数学が得意なインド人の青年が、ネットを通じてアメリカの小学生に数学を教えるという家庭教師のビジネスも、すでに存在している。

昔から日本では、家庭教師という仕事は、高学歴でも社会性があまりないために、会社勤めができないタイプの人が、十分食べていけるビジネスとして存在していた。

有名大学の大学院生が、塾の講師をするのも稼げるバイトだったが、今後はどうなるか分からない。レアジョブのようなサービスが広まっていけば、いずれはあらゆる分野の「先生」が、国際的な競争にさらされることになるだろう。

こうした急激な社会変化が、あらゆるところで起こっているのが現代の社会である。今までうまくいっていたやり方が通用しなくなり、これまでと同じ方向性でがんばっても、豊かな生活を営むのは難しくなってしまった。

物心両面ともに幸福で充実した人生を過ごすには、これまでとはまったく違う要素が必要なのではないか。そのことにみな気づき始めているのだが、かといってどうすればいいのか分からない。それが今の時代を覆っている閉塞感の大きな一因だと私は考えている。

ここまでに手に入れた「武器」

★勉強ブームの陰には「不安解消マーケティング」がある。勉強すれば大丈夫と安易に思うな！

★インターネットによって、知識獲得コスト、教育コストが激減し、世界的な競争にさらされるなど、急激な社会変化に注視せよ！

どんどん広がる全産業の「コモディティ化」

レアジョブのような国境を越えたサービスが広まることは何を意味するのか。止めることができない変化は、一部の例外を除いて、どんどん賃金の最低金額が下がっていく、ということだ。

そのことを説明する前に、ここで経営学や経済学で使われる言葉だが、とても大事なキーワードを挙げたい。

それは「コモディティ」という概念である。

コモディティ（commodity）とは英語で石鹸《せっけん》や歯ブラシなどの「日用品」を指すときによく使われる言葉だが、経済学や投資の世界ではちょっと違う意味で使われる。

市場に出回っている商品が、個性を失ってしまい、消費者にとってみればどのメーカーのどの商品を買っても大差がない状態。それを「コモディティ化」と呼ぶ。

経済学の定義によれば、コモディティとは「スペックが明確に定義できるもの」のことを指す。材質、重さ、大きさ、数量など、数値や言葉ではっきりと定義できるものは、すべてコモディティだ。

つまり「個性のないものはすべてコモディティ」なのである。どんなに優れた商品でも、スペックが明確に定義できて、同じ商品を売る複数の供給者がいれば、それはコモディティになる。

一定のレベルを満たしていれば、製品の品質は関係ない。たとえば、日本の自動車部品メーカーが作る製品の質は、非常に高いレベルにある。しかし、グローバル化して少しでも安い部品を調達したい自動車会社から見れば、一定のスペックを満たしていれば、それらの部品はすべて「同じ」と判断される。だとすれば、少しでも価格が安いほうから買いたい。

だから、今の自動車業界、とくに部品を供給するビジネスは、どれほど品質が高くても買い叩かれる構造となっている。

ちなみにコモディティ部品のコスト削減をもっとも激しく行った企業が、ゼネラルモーターズ（GM）だ。GMは部品会社の提案に対して、「我々はあなた方の提案にはいっさい興味がない。我々が求める基準を満たしていれば、価格がいちばん安いところに決めます」と宣言し、徹底して「コモディティ化戦略」をとった。

あらゆるものが買い叩かれるコモディティの市場

コモディティ化した市場で商売をすることの最大の弊害は、「徹底的に買い叩かれること」にある。

コモディティ市場において、商品の値段がいくらに決まるかは、非常に明快だ。資本主義市場では、商品が需要に対して不足しているときは値上がりし、余っていれば値下がりするのが根本ルールとなる。コモディティ化した市場は、恒常的《こうじょうてき》に商品が余っている状態になるので、そこでの商品の値段は、供給側（買ってもらう側）の「限界利益」がゼロになるまで下がる。

限界利益とは、経済用語で「商品が一単位売れたごとに生じる利益」のことだが、簡単にいえば、実質的な生産コストを差し引いた、売り手の手元に残る利益のことを指す。

それがゼロになるということは、コモディティ商品を作る企業は、価格競争を続けていった末に、「売っても売っても儲《もう》からない」「ずっと商品を提供し続けるだけの飼い殺し」の状態に追い込まれてしまうということなのだ。

身近な例でいえば、最近の牛丼チェーンの値下げ競争に、コモディティ市場の典型を見ることができる。牛丼という食べ物は、チェーンによって多少は味に差があるのだろうが、月に1度か2度食べるぐらいの普通の生活者に、その味の差異が明確に認識されているとは言いがたい。

つまり生活者にとっては、「腹いっぱい、安い値段で牛丼が食べられること」がいちばんのバリューで、吉野家の牛丼か、松屋の牛めしか、すき家の牛丼かはたいした問題ではないのである。そうなると消費者が牛丼チェーンを選ぶ基準は「少しでも安いほうが良い」ことになり、10円、20円の争いになってくる。だから牛丼チェーンはどこも限界まで利益を削って、値下げすることでしか他社との差別化ができなくなっているのである。

これと同様のことは、居酒屋チェーンでも起きている。ワタミやモンテローザなどの居酒屋チェーンを経営する企業が、それぞれ全品300円以下の店を展開し、しのぎを削っているが、10円、20円の単位で価格競争が起こっている理由は、牛丼チェーンとまったく同じである。


さて、私がここで声を大にしてお伝えしたいことは、「コモディティ化するのは商品だけではない」ということだ。「コモディティ化」は部品だけの世界の話ではない。労働市場における人材の評価においても、同じことが起きているのである。

これまでの「人材マーケット」では、資格やTOEICの点数といった、客観的に数値で測定できる指標が重視されてきた。

だがそうした数値は、極端にいえば工業製品のスペックと何も変わりがない。同じ数値であれば、企業側は安く使えるほうを採用するに決まっている。先ほどの外資系企業の採用の話でいえば、「TOEIC900点以上」ならば誰でも同じ、という話なのである。

だからコモディティ化した人材市場でも、応募者の間で「どれだけ安い給料で働けるか」という給料の値下げ競争が始まる。

つまり資格やTOEICの点数で自分を差別化しようとする限り、コモディティ化した人材になることは避けられず、最終的には「安いことが売り」の人材になるしかないのだ。

高学歴ワーキングプアが生まれる背景

こうした「コモディティ化」の潮流が、世界中のあらゆる産業で同時に進行している。その流れから逃れることは、現代社会に生きる限り、誰にもできない。これからの時代、すべての企業、個人にとって重要なのは、「コモディティにならないようにすること」なのだ。

一会社員、一研究者、一営業マン、一教師、といった具合に、同じような能力を持った人間であれば、今やっていることをほかの誰かと交換しても、代わり映えしない労働力になることが、個人のコモディティ化である。

決められた時間に出社して、決められた仕事を決められた手順で行い、あらかじめ予定していた成果を上げてくれる人、そういう人であれば、その中でいちばんコスト（給料）が安い人だけが求められるのが、現在のグローバル資本主義経済システムなのである。

コモディティとは前述したように、「スペックが明確に数字や言葉で定義できるもの」という意味である。個々の商品の性能自体が高いか低いか、品質が優れているかどうかは、関係がない。

人間の採用においても同じことだ。学歴が博士課程の人を募集するのであれば「博士」というスペックで、もしくは六大学以上の学歴でＴＯＥＩＣが９００点以上というスペックで募集をかける。そうすると、そこに集まった人は「みな同じ」価値しかない。そこで付加価値が生まれることはないのだ。

業務マニュアルが存在し、「このとおりに作業できる人であれば誰でも良い」という仕事であれば、経営者側にとっての関心は「給料をどれだけ安くできるか」という問題になる。

こうして、いかに人を買い叩くか、という競争がグローバル市場の中で行われ、ホワイトカラーの労働力そのものがコモディティ化してしまった。そのため、今の社会は構造的に「高学歴ワーキングプア」を生み出す仕組みになっているのである。

「女子会」が生まれたのは？

そうしたコモディティ人材を求める企業では、従業員に払う給料の額も、「どうにか人並みの暮らしができて生存できる」レベルで抑えられている。だから、コモディティな人材として働く限り、ほとんど貯金できない。今の日本では、貯蓄ができる人の数が大幅に減り続けているが、それも当然の結果なのである。

東京都心にある企業の場合なら、年収で300万円から400万円前後。これは、自宅から通わずにワンルームマンションを借りて住む人が、ぎりぎり生活できるぐらいの金額となる。だから、今の東京で働く普通の若い人で、貯金ができているのは、ほとんど自宅から通っている人しかいない。

余談だが、自宅から会社に通う若い女性は、そこそこのお金を貯めている。リクルートが自社のメディア『L25』を使って、「女子会」というイベントを仕掛けていたが、それはこの女性たちに、貯め込んだお金を使ってもらおうという狙いがあったからだ。

同世代の男性は、食事に行っても自分と彼女、両方の食事代を負担することもしばしばである。そのため彼らを狙っても、これ以上の金を引き出せない。そこで、女性にお金を使わせる方法はないかと考え、出てきたアイディアが「女子会」だったということだ。若い女性を『L25』で集めてクーポン誌の『ホットペッパー』を使ってもらい、金を落としてもらおうと考えたわけである。さすがリクルート、目の付けどころが鋭いといえよう。

労働者の給料がどんどん安くなっているもうひとつの大きな理由は、最低賃金の募集でも、喜んで働く人がどんどん増えているからだ。

最近の都心では、居酒屋などの飲食店やコンビニの店員が、アジア系や中東系の外国人であることが珍しくない。外国人労働者が増えているのは物販に限らない。パソコンメーカーのコールセンターなどに電話をかけても流暢《りゅうちょう》な日本語を操る、優秀な中国人などが対応してくれるケースが増えている。GDP世界第2位の座を中国に奪われ以前より国力が衰えたとはいえ、まだまだ円高の日本で働くことは中国人にとっても大きく稼げるチャンスなのだ。

「はじめに」でも企業が急激に外国人採用枠を増やしていると述べたが、ここ2~3年で、日本人と中国やインドなどからやってきた労働者とで、仕事の奪い合いが本格的に始まっているのである。

「スペシャリティ」だけが生き残れる

ここまで述べてきたように、これからの日本では、単なる労働力として働く限り、コモディティ化することは避けられない。

それでは、どうすればそのようなコモディティ化の潮流から、逃れることができるのだろうか。それには縷々《るる》述べてきたように、人より勉強をするとか、スキルや資格を身につけるといった努力は意味をなさない。

答えは、「スペシャリティ（speciality）」になることだ。

スペシャリティとは、専門性、特殊性、特色などを意味する英単語だが、要するに「ほかの人には代えられない、唯一の人物（とその仕事）」「ほかの物では代替することができない、唯一の物」のことである。概念としてコモディティの正反対といえる。

たとえばあなたが調理師学校を出たコックだとして、誰かが経営するレストランの一従業員として働き、先輩やチーフから命ぜられるままに料理を作って毎日を過ごしているのだとしたら、コモディティである公算が高い。そうではなくて、あなたの作る料理を目当てにしていたり、あなたが接客するからこそ来店するお客がたくさんいて、レストランの経営に多大な貢献をもたらしているのであれば、スペシャリティなコックであるといえる。

あらゆる業界、あらゆる商品、あらゆる働き方においてスペシャリティは存在する。しかしその地位はけっして永続的なものではない。ある時期にスペシャリティであったとしても、時間の経過に伴い必ずその価値は減じていき、コモディティへと転落していく。

スペシャリティになるために必要なのは、これまでの枠組みの中で努力するのではなく、まず最初に資本主義の仕組みをよく理解して、どんな要素がコモディティとスペシャリティを分けるのか、それを熟知することだ。

その理解がなければ、どれだけハイスペックなモノやサービスを生産していても、コモディティの枠に入れられ、一生低い賃金に留まることになるだろう。

しかし今の日本の就職・転職市場を見ていると、そのことを理解している人はほとんどいないように見受けられる。ビジネス本が火をつけた勉強ブームのおかげで、多くの人が一生懸命TOEICの点数を上げようと努力したり、簿記2級の資格をとるといったことに精力を傾けている。しかしそれが現在の世の中では意味を持たないことは、これまで述べてきたとおりである。

余談だが、パソコンのオンラインゲームに多くの人がハマるのは、その世界では「努力」の有効性がまだ存続しているからではないだろうか。

最近展開されていた『ラグナロクオンライン』という人気ゲームのコマーシャルでは、現実の世界では友だちが一人もいない青年が、ゲームの世界ではみんなに頼りにされていて大活躍する姿を、ある意味前向きに描いていた。

「努力をして経験値を積み、お金を貯めて武器をそろえれば、立身出世ができる」というのがオンラインゲームの世界観である。もともとそうした努力を尊ぶべきという価値観は、現実の世界を反映していたはずなのだが、その現実世界では成功ルールが通用しなくなってしまったというのが、いかにも皮肉なことに思えてならない。

ここまでに手に入れた「武器」

★全産業で「コモディティ化」が進んでいる。賃金を下げないためにはコモディティになるな！

★生き残るためには「スペシャリティ」な人間になること。「唯一の人」になれ！

第2章 「本物の資本主義」が日本にやってきた

「本物の資本主義」の到来

サブプライム・ローンの破綻《はたん》に端を発するリーマンショックから始まった世界同時株安。その影響は3年以上が経った今も晴れることなく、世界的な不況が続いている。

ここ数年の冷え込んだ経済状況を見て、「資本主義は終わった」「新たな経済のパラダイムが必要だ」という議論も盛んだ。「これ以上の経済成長を目指す必要がどこにある」という意見を述べる人もいる。

有史以来、日本は初の人口縮小局面を迎えている。人口における65歳以上の高齢者の比率は、1955年まで5%だったのが、1970年に7%、1990年には12%、2006年には20%を超え、2033年には30%を超える見込みである。これから数十年はますます少子高齢化が進み、経済成長の指標であるGDP（国民総生産）は人口に比例するため、就労人口が減っていく一方の日本では、これ以上の経済成長を望むべくもない。これが「経済成長悲観論者」の論拠である。

その見方には確かに一理ある。私もこれからの日本がこれまでのような経済成長をしていくとは考えていない。

だが、日本を離れて世界に目を向けると、まったく違う現実があることに気づく。日本にいると、どうしても伏《ふ》し目がちで内向きにならざるを得ないが、世界に改めて大きく目を開くと、資本主義は終わっていない。それどころか、今現在もまったく変わらず続いているし、これからますます発展していく。その証拠はいくつも挙げられる。

金融危機を招いた張本人として厳しい批判を浴びた投資銀行の代表、米ゴールドマン・サックスは、2010年度1~3月期の決算で前年同期比91％増、34億5600万ドル（約3200億円）の増益を叩き出している。

2010年の東京・銀座では、中国人富裕層の観光客がバスに乗ってやってきて、ブランド品の数々を買い漁《あさ》っていた。東日本大震災と福島の原発事故以降、一時的に潮を引くように姿を消したが、数ヵ月後には再び日本の観光地で多くの中国人の姿を見るようになっている。1990年代前半、1ドル80円台の円高を背景に日本人観光客がパリやローマのブランドショップに大挙して押し寄せ、国際的な顰蹙《ひんしゅく》を買ったことがあるが、それと同じ構図が日本と中国の間で起こっているのである。

いまもなお共産党一党独裁国家である中国は、市場を開放し自由化することで急激に資本主義への道を開いた。日本の戦後を振り返ると、戦勝国であるアメリカのGHQの指導の下で行われた大胆な財閥解体や税制改革が礎《いしずえ》となり、政府が主導するかたちでの経済発展が長い間続いた。

その結果、資本主義国家でありながら「世界で唯一、もっとも成功した社会主義の国」とやっかみ半分で評価されるようになった。資本主義へと急ハンドルを切った中国は、日本が歩んできた歴史の何十倍ものスピードで、純粋資本主義への道を歩んでいるように見える。

ゴールドマン・サックスと中国人富裕層の事例を見るだけでも、金融危機後も世界経済の構造は、本質的には何も変わっていないことが分かる。それどころか、全産業がグローバル化し、世界中がネットワークでつながった21世紀のこれからこそが、「本物の資本主義」の到来の時代といえるのである。もちろん、日本もそのネットワークの渦中《かちゅう》にいる。

かつて日本は明るかったが……

戦後の日本は長い間、敗戦によって軍事力を削《そ》がれたことを好機として、その国力を経済活動に注力してきた。その結果、奇跡の復興とも呼ばれる成長を遂げることができた。持ち前の勤勉な国民性から、自動車をはじめとして、冷蔵庫・テレビ・洗濯機といった家電製品なども安価で高品質のものを続々と開発していった。それらの製品は旺盛《おうせい》な国内の需要と、アメリカやヨーロッパ向けの国外市場に支えられ、作れば作っただけ売れるという時代が長い間続いた。

幾度かの深刻な不況によって経済が停滞することはあったが、必ずまた好景気が到来し、風向きが変わるという希望を持つことができた。日本人は多幸感に包まれ、底抜けに明るかった。

「経営の神様」と呼ばれた、松下電器（現・パナソニック）の創業者、松下幸之助《まつしたこうのすけ》の有名な「熱海会談」というエピソードがある。

昭和39年、日本は東京オリンピック前まで続いた好景気からウソのように不況の時代となる。減収減益の兆《きざ》しに危機感を覚えた松下幸之助は、熱海のホテルに全国の販売店の店主を集める。すると大半の販売店・代理店が赤字に苦しんでいた。これは店の努力不足ではないのか――、そう感じた幸之助は、なぜ売れないのか、店主たちと3日間にわたって徹底的に議論しあった。そして誰もが結論は出ないのではないか、と思ったときに、

「みなさんの言い分はよく分かった。松下が悪かった」

と頭を下げて、幸之助は涙を流して謝った。

そして、この現状を突破するために、お得意先の信頼に応えるために、がんばるときなのだ、と心のこもった言葉で語ったのである。その言葉を聞き、涙を見た販売店の店主たちも感激し、

松下への恨み辛《つら》みで埋まっていた会場は、団結心でひとつとなる。そして松下電器と販売店は次々に流通・販売改革を実行していき、さらなる発展を遂げていったのだ。

この話は戦後の日本経済を支えた松下電器の成長神話を語る際には、必ず紹介される美談のひとつである。私自身何度読み返しても心打たれる話である。

だが残念ながら、現在の日本を覆う不況は、松下幸之助の時代の不況とまったく別のものとなっている。

松下の熱海会談のころ、日本企業を支えてきたのは、いわゆる「護送船団方式《ごそうせんだん》」である。護送船団では、最もスピードの遅い船にあわせて全体が航行する。同様に、日本政府は手厚く産業を保護する政策をとってきた。事業の許認可や輸入品に対する厳しい規制を設けることで新規参入を妨げ、競争はあってもそれに敗れた大手企業からできるだけ落伍者《らくごしゃ》を出さないよう、あらゆる分野で政府が産業をコントロールした。日本が「もっとも成功した社会主義国」といわれるのも、この政府の産業に対する手厚いケアが大きな理由である。

しかし、この日本の高度経済成長を支えた「護送船団方式」も批判を浴び、1990年代に入りバブルの崩壊と時を同じくして終焉《しゅうえん》を迎える。

経済のグローバル化に伴って規制で守られてきた産業は次々に競争力を失い、また中国や台湾、シンガポールなどをはじめとする新興国の産業化がどんどん進み、安い労働力で日本の産業から仕事を奪い取っていくようになった。そして2010年代に入ると、新卒の学生の雇用までもが厳しい国際競争に巻き込まれる事態となった。これまでの規制に守られた「社会主義的な資本主義」から、世界中の人々と市場で競争を迫られる「むきだしの資本主義」「本物の資本主義」の社会へといやおうなく足を踏み出さねばならなくなったのが現在の日本なのである。

今や、電機メーカーが国内需要の低迷で何とかしなければならなくなったときに、国内販売店と一丸となって踏ん張ればまた上向くということは、もはや絶対に期待できない。部品メーカーも販売店もしのぎを削って、より効率を高めた企業がそうでない企業を呑み込んでいく、あるいは日本から海外への進出に対応できた事業者だけが生き残っていく、そういう時代なのだ。

2011年、中国が日本を抜きGDPでアメリカに次ぐ世界第2位の位置を占めるようになったと報じられた。その中国に負けじと、ロシアやインド、ブラジルなど「BRICs《ブリックス》」と呼ばれる国々も経済発展の速度を上げている。中東のフェイスブック革命も、イスラム圏に怒濤《どとう》のように資本主義の波が押し寄せたために起きた社会現象だ。今後は「最後の市場」ともいわれるアフリカの国々にも、資本主義の波が押し寄せていくことは間違いない。

これからも資本主義は次々と世界中で進行していく。それは資本主義を支える根本的な原理が「より良いものが、より多く欲しい」「同じものなら、安いもののほうがいい」という、人間の普遍的な欲望に基づいているからである。

計画経済の恐ろしさ

そもそも、なぜこれほどまでに「資本主義」が世界を席巻《せっけん》するのだろうか。

資本主義について話をする前にまず、資本主義経済の逆の体制である「計画経済」について、説明したいと思う。計画経済体制の国家というのは、旧ソ連が典型だが、簡単にいうと「どこかに神様のように万能な頭のいい人がいて、その人の正しい予測をもとに、社会が進んでいく」という前提で作られた社会である。

万能で頭のいい人とはつまり、国家を運営する官僚＝役人である。

そうした社会では、「優秀な学校を出て、難しい試験に合格した官僚には、国民のみんなが欲しがっているものが何か、いつどれぐらい必要なのか、全部分かる」というのが前提となっている。さらに、食糧をはじめとする生活に必要な物資を作るために、何をしたらいいかも科学的に完全に予想できる、と考える。

その「頭のいい人」が、みんなが欲しがっているはずのものを「これだ」と決めて、完璧な生産計画を立て、必要な人のところに、必要なだけ、必要なときに物資を配る、というのが計画経済である。

ところが、すべてを完璧に予想することができる人間など、いるはずもない。計画経済国家の代表、旧ソ連では、ある地域で大量に農産物を作ったはいいが、それを運ぶ物流システムが必要であることをまったく考えていなかったために、そのほとんどが腐ってしまったといった事例が山のようにあったという。中国で毛沢東が進めた「大躍進政策」では、中国全土で2000万人の餓死者が出たといわれる。

今の北朝鮮で多くの国民が飢えに苦しんでいるのも、一部で市場経済を導入しようと試みながらも、国家が市場を完全にコントロールしようとして、それに失敗しているためだ。政府にコントロールされない「闇市《やみいち》」が存在すれば、自然とそこには人々が必要とする食料などの物資が集まる。食料が余っている人はそこで余剰を売り、必要とする人が手に入れることができる。これは世界中、どの国でも、どんな文化圏でも変わらない。「市場で交換する」という行為は、人間の本質的な営みなのである。

ところが計画経済においては、農産物の生産から、食糧の配給、物資の輸送、そのすべてが官僚のコントロール下にある。個人が自由意思で関与することは許されない。官僚は自分が予想できなかったことは、「世の中のほうがおかしい」と考える。

また計画経済の恐ろしいところは、そこに住む市民の意識も変えていくことだ。「自分たちのあずかり知らぬところで、世の中がうまく回るように偉い官僚がいろんなことを決めてくれる。だから、自分たちは何も考えずに言われたとおりにやっていればいい」という空気が広がっていくのである。

なぜならば、絶対に正しいはずの官僚に逆らうことは、イコール国家に対する反逆と見なされるからだ。スターリン時代のソ連、毛沢東時代の中国、ポル・ポト政権時のカンボジア。第2次大戦後の世界の歴史の中で、国家による数十万〜数千万人規模の国民の大量虐殺が起こった国は、そのほとんどが計画経済国家なのである。

こうした矛盾が行き着くところまで行って、ソ連をはじめとする旧社会主義国家は次々に破《は》綻《たん》していった。資本主義は「最善」のシステムではないかもしれないが、少なくとも今のところ人類の歴史において、「もっともマシ」なシステムであると多くの人が考えるのも、上記の計画経済の恐ろしさが大きな理由のひとつである。

「正しい人が勝つ」のが資本主義

一方、資本主義の社会では、初めから「頭のいい人がすべてを決めるなんて無理」と考える。そのかわり、市場に集まったそれぞれの人が、自由にお金とモノをやりとりすることで、自然にうまくいくという考え方をとる。アダム・スミスの考えた「神の見えざる手」のコントロールに任せよう、という思想だ。

「欲しいならば買ってください、いらないなら買わなくても構いません」と、売る側の人間が自分で値段を自由に決められる。客側は、商品と値段を見て、その金額が妥当《だとう》だと思えば買えばいいし、高すぎると感じたらほかの店を探せばいい。売買する双方に自由があるのである。

ただし「お金」は市場に売りに出されるどんなモノとも交換できる。さらに時間が経っても「お金」は腐ったりしないし、(インフレなどがない限り)価値が目減りすることもない。だから商売の交渉においては、できるだけたくさんのお金があるほうが有利となる。そのため、資本主義社会の参加者は、基本的に全員がお金をたくさん得ること=富《とみ》を目指す。

では、どういう人ならば、資本主義の社会でお金を増やすことができるのか。

簡単にいえば、「より少ないコストで、みんなが欲しがるものを作った人」である。

その逆に、みんなが欲しがらないものを作ったり、必要以上のコストをかけて作る行為は、社会的に無駄な行為となり、自然と淘汰《とうた》されていく。これが、資本主義の基本的な構造である。

資本主義社会の中で正しいアウトプット、つまり顧客に売れる商品を提供し続ける人は、その見返りとしてたくさんのお金を得ることができる。そのお金を使ってさらに人々が欲しがる商品を開発し、生産力を高めることができるので、さらにまたお金が入ってくる、という上昇スパイラルを描くことができる。

その逆に間違ったアウトプット、つまりみなが欲しがらない商品を作っている人のところには、お金が入ってこないのでどんどん貧しくなっていく。コストを削って作った商品はさらに魅力がなくなり、ますます売れなくなっていく。その結果、自然とその人は商売を諦《あきら》めることになり、無駄なコストをかけて商品が作られることもなくなる。

さらに、資本主義社会の優れた仕組みは、基本的に、「何がいくらで売っているかが、公開されていること」である。計画経済では、公定価格という決まりがあり、「500円の商品は全員500円で買いなさい」と決められている。

しかし、資本主義社会においては、市場で500円で売られているものを、「自分なら400円で作れる」と思ったならば、作って売り出す自由がある。500円で売っていた人は、400円で同じ商品を売る人が出てくることで、自分も400円に値下げしなければならない、というプレッシャーを受ける。価格が同じであれば、品質の競争が始まる。結果的に、価格はどんどん下がり、品質はどんどん向上していく。その品物を買いたい人は、より安い値段で、より高品質の商品を手に入れることができる。このスパイラルが繰り返されることで世の中が進歩していく、というのが資本主義の世界なのである。

このように資本主義は、人間のいい意味での欲望に合致した、社会を進歩させる動力を内包したシステムであるところが優れているのである（ただしその進歩が進みすぎた結果として、商品の差がなくなり、値段が限界まで低下するコモディティ化現象も起きている。また、超富裕層と貧困層で格差が固定される問題もある。だから、後述するバフェットやビル・ゲイツのような超富裕層は、寄付を通じて格差是正を支援したり、あえて超富裕層の課税強化に賛成したりしている）。

ここまでに手に入れた「武器」

★日本にやってきている「本物の資本主義」の姿を見極めよ！

★一部の「頭のいい人」ではなく、「より安く、よりいい商品」を作る人間が、社会を進歩させるシステムが資本主義。

富を生み出すかつてのモデル「略奪」「交易」

資本主義に至るのにも、発展の段階がある。

富を得る方法で、いちばん古くからあるのは「略奪モデル」である。簡単にいえば、富を持つ者から力ずくで奪う、という方法である。古くはマケドニアのアレキサンダー大王や、秦《しん》の始皇帝に始まり、モンゴルのチンギス・ハンはアジアからヨーロッパまで征服することで莫大《ばくだい》な富を得た。

大航海時代を経て17世紀に入ると、イギリスをはじめとするヨーロッパの国々は、「三角貿易」と呼ばれる砂糖あるいは綿・銃・奴隷のビジネスを始める。

当時のヨーロッパでは、喫茶の風習が急速に広がったことから、砂糖の需要が大幅に伸びていた。そのため西インド諸島やブラジルの砂糖農場では労働力が大量に必要となり、「奴隷」の需要が急激に高まったのである。奴隷商人たちは、西アフリカへ繊維や酒、銃などの武器を運び、それらの品物と現地の黒人奴隷を交換して、西インド諸島などの農場に奴隷を売り飛ばした。奴隷のうちの一部は、アメリカにも運ばれ、綿花などのプランテーションの労働力として使役された。

さらに時代が下って1800年ごろのアメリカでは、個人が金持ちになるためのもっとも手っ取り早い手段は、海賊になることだった。当時は独立を果たしたばかりで、その祖国イギリスからやってくる貿易船を襲って積み荷を奪い、それを転売するのがもっとも稼ぎの良い「ビジネス」だったのである。

三角貿易も海賊行為も、今の常識に照らし合わせれば実に乱暴なビジネスだが、世界の歴史を見れば珍しい話ではない。今でも一部の農産物（たとえばコーヒー豆など）は生産地に住む人々が非常に安い賃金で働くことで先進国の大量の需要が賄《まかな》われているわけで、時が経っても人間の労働力を安く収奪することでビジネスが成り立っている産業は存在するのである（そして、それを解決しようとしているフェアトレードですら、詳しくは述べないが、問題を抱えている）。

また大規模な農業や漁業といった人間の経済活動によって地球の生態系が脅かされるようにもなっているが、これも略奪の相手が人間そのものではなく、動植物を相手とするようになった結果起こったともいえる。一方的な暴力的手段によって略奪するというビジネスモデルは、残念ながら、現在でも形を変えて生き残っているのである。

略奪モデルの後に、富を生み出す仕組みとして新たに出てきたのが、「交易モデル」である。

大航海時代の香辛料貿易が典型的だが、遠く離れたA地点とB地点では、同じモノにつけられる値段が違うことを利用し、モノを移動させることで富を生み出すビジネスである。インドではそこらじゅうに自生している、スパイスの原料となる草や木の実を集めてくると、イギリスでは宝石のように高く売れる。しかしインドまで行くための航海は、非常に危険であり、高いリスクがあった。航海に失敗すれば命すら危うい。そこで船に乗る人と、航海に必要な金を出す人で、リスクを分け合うことになった。船に乗るのが起業家（アントレプレナー）で、金を出すのが資本家・投資家（インベスター）の原形である。

この大航海時代に、資本主義のいちばん原始的な仕組みが作られた。16世紀から17世紀にかけて、ヨーロッパでは富裕層が金を出し合い、貿易や植民地経営をするための共同体を設立するようになった。株式会社の誕生である。

イギリスの貿易商人たちが設立したレバント会社や1600年に設立されたイギリスの東インド会社が有名だ。初期の貿易会社は、航海のつど出資を募り、航海が終わるたびに配当・清算を行って終了する事業だった。出資金も細かく分割し、出資した額面に応じて、得られる利益を変える仕組みを作った。これが「株式」である。

世界を塗《ぬ》りかえた「生産性革命」

この「交易モデル」の後に出てきて、大きく社会を変えたのが「生産性革命」である。人類は約200年前に始まった生産性革命によって、それまでにない発展を遂げた。生産性革命とは、蒸気機関などの人力以外のエネルギー、機械を使うことによって、同じモノをより多く、より短い時間で、より安く作り出すことができるようになったことを指す。

18世紀イギリスの産業革命がその典型例だが、生産性革命が人類に多大な変化をもたらすことにいち早く気づいた人々（資本家）は、工場を造り、生産設備を整え、労働者を雇うことで大きな財産を築くことができた。

生産性革命のインパクトの大きさはどのようなものだったのか。まず、それまで稀少《きしょう》な存在で、貴族などの特権階級しか手に入らなかったものが、工業化による大量生産によって安くなり、庶民にも手が届くようになったことが挙げられる。

たとえば移動手段としての自動車がその代表だ。現代の工業は基本的に、アメリカのエンジニア、フレデリック・テイラーが提唱した「テイラー主義」と呼ばれる科学的管理手法に基づく。作業を標準化して、労働者を管理する生産方式によって、フォードをはじめとする資本家が工場を造り、自動車の大量生産を始めることが可能となった。

靴や洋服などの日常用品も、生産性革命によって大量に作られるようになり、あらゆる階層の人間に行き渡るようになった。

当時のフォードの車についての冗談に、「色は黒であれば何でも選べます」という名言がある。これは黒以外の選択肢がないことを皮肉っているわけだが、工業生産品は、同一の製品を大量に作れば作るほど、よりコストを下げることが可能となる。つまりフォードは、画一的な自動車を大量に生産することで成功したのである。そうしてコストを削減し、自動車の大衆化を実現することができたのだ。

生産性革命はイギリスからヨーロッパ各国、アメリカ、ロシア、日本へと次々に飛び火し、各国の生産性を劇的に高めていった。現在の中国が工業国として大躍進しているのも基本的にはその延長線上にある。

そして21世紀の現在、生産性革命はあらゆる国に行き渡った。生産性革命がもたらしたものは非常に大きく、たとえば化学肥料の大量生産が可能になったことで、すでに人類はカロリーベースで言えば「飢餓」を克服している。

かつては富裕層しか手に入れることができなかった自動車もあらゆる階層に行き渡り、電気自動車の時代が始まろうとしている。1990年代後半から世界中で爆発的に普及したインターネットと携帯電話によって、人類はそれまでの500倍以上の情報を日常的に得られるようになったが、これも生産性革命の延長線上にある。

産業が発展すると、労働者は……

資本主義の発展と同様、産業の発展にも段階がある。20世紀前半にアメリカに渡ったヨーロッパ人は、工場でいきいきと働く労働者を見て感動した。それは、労働者同士が平等で、工場を良くするためにはどうすればいいか、自分たちの問題として討議をしていた姿を見たからだ。それはヨーロッパではありえない光景だった。

ヨーロッパは現在でも身分制度の名残《なごり》を残す社会である。ましてや100年ほど前に、労働者と元貴族である資本家が話し合って、いっしょに工場でものづくりをすることなど考えられなかった。

その目撃者は、「いずれヨーロッパはアメリカにやられてしまうだろう」と紀行文に記したが、実際に程《ほど》なく、アメリカは自動車産業を中心とする工業生産で世界の中心となる。

かつて自動車産業の黎明期《れいめい》、フォードの工場で働く人は、当時のアメリカの一般的労働者の倍の賃金を得ていた。

昔は熟練工でないと自動車の生産ラインには入ることができなかったのである。そのためフォードは、労働者に終身雇用を保障することで、自社で働く熟練工を囲い込んだ。貧しい家庭の子どもたちを雇い、工場で働かせながら学校に通わせ、教育を受けさせるといった活動も行っていた。こうした手厚い労働者に対する保護により、しばらくの間アメリカでは資本家と労働者との蜜月《みつげつ》の時代が続く。資本家にとっても労働者を厚遇することで、安定した企業の生産活動ができるというメリットがあったわけである。

しかし、その50年後に、アメリカと日本の間で、かつてヨーロッパの人間が驚いたのと同様のことが起こる。高度経済成長を迎えた日本は、アメリカよりも安いコストで燃費の良い車を大量生産することに成功し、アメリカの自動車メーカーは徐々に競争力を失っていく。日米経済摩擦の始まりだ。

さらに工作機械の精度が向上したことで、誰が生産ラインに入っても最新の自動車を作れるようになり、熟練労働者が必要とされなくなっていく。誰でもいいのなら、前述のように企業はコストを抑えるために、もっとも安い賃金で雇える人を採用するようになっていった。アメリカの失業率が高まり貧富の格差が拡大していった根本的な原因には、この工業の現場で起きた技術革命があったのである。

賃金が下がったのは技術革新のせい

こうして見ると、現在の日本の産業界に起きている事象は、1980年代のアメリカの産業界を襲った事象とそっくり同じだ。

リーマンショック以降、「行きすぎた資本主義が人間を苦しめる」といった文脈で、資本主義の考え方自体が攻撃されるようになった。とくにアメリカで生まれた「新自由主義」に対する風当たりは強く、アメリカ型の経済を目指したいわゆる「小泉・竹中路線」に反発する人は少なくない。

働く人々、とくに正社員ではなく派遣社員などの非正規雇用で働く人たちからは、資本主義や資本家を糾弾《きゅうだん》する声が日増しに高まっており、最近の国会でも、製造業への派遣を原則的に禁止する、ということが決まった。

しかし私はそのニュースを見て、「本質からずれているのではないか」と感じていた。

なぜなら、労働者の賃金が下がったのは、産業界が「派遣」という働き方を導入したのが本質的な原因ではなく、「技術革新が進んだこと」が本当の理由だからだ。

自動車産業に代表される工場のラインがオートメーション化され、コモディティ化した労働者がそこに入っても、高品質の製品が作れるようになったことが、賃金下落の本当の原因なのである。

今政府がとろうとしている政策は、世間の人たちのウケを狙った小手先の改革にすぎず、賃金下落の本質を捉えていない。メーカーへの派遣が法律で禁止されれば、メーカーは次に、その仕事を外注に出し、請負先の企業がやはり低賃金で人を雇ってモノを作らせるだけだ。

つまり賃金下落も、産業の発達段階の問題でしかないのである。産業の成熟化が進み、熟練労働者が必要なくなれば、新自由主義といった思想とは関係なく、労働者は必然的に買い叩かれる存在となってしまうのである。

国レベルでビジネスモデルが陳腐化した日本

日本経済が疲弊化していった理由はほかにもある。

資本主義が発展すればするほど、商品の価格は下落していき品質は向上する、と述べた。コモディティ化はその必然の結果である。あらゆる産業もまた、発展していった先に必ずコモディティ化し、陳腐化していく。

国レベルで見ても、日本のビジネスモデルというのは、すでに陳腐化している。かつて日本が強かったのは「擦《す》り合わせ製造業」という分野だ。単純に部品を組み合わせて製品を作るのは「組み合わせ産業」と呼ばれ、「擦り合わせ」とは区別される。

「擦り合わせ製造業」では、モジュール（規格化された汎用部品）を組み合わせて製品を作り上げるのではなく、それぞれの部品やユニットを、最終的にもっとも性能や機能を発揮できるようにカスタマイズして設計し、組み立てる。この開発プロセスを持っていることが、日本の製造業の最大の強みだったのである。

ベンダー（販売側）と綿密に商品の打ち合わせをしながら、細かい仕様をカスタマイズしていく調整役を担い、高品質、低コストの商品を生み出す。これはコモディティ化の逆である。たとえば自動車では、エンジン・サスペンション・シャシー・ボディなどのモジュールを単純に組み合わせただけでは、快適な乗り心地は実現しない。部品メーカーや車体メーカー、さらには販売会社と最適なモジュール同士の連携ができるよう、時間をかけて調整する。こうして

「擦り合わせ」が実現したのだ。

「ものづくり」で、日本が世界市場を席巻《せっけん》した強みはここにあった。

しかし時代は変わった。工作機械の進歩はすさまじく、中国では人海戦術で多品種の製品を作るようになり、品質やコストにおいて、差をつけることが難しくなってしまったのである。

以前、私はマッキンゼーに勤めていたころ、全世界の自動車部品メーカーについて調査を実施したことがあった。各メーカーごとの部品の品質の差によって、どれぐらい完成品である自動車の故障率に変化があるかを調査したのだが、やはり当時は、日本企業と海外企業の作る部品では、最終的な完成品の品質に有意な差が見られた。しかし、年を経るにつれてその差は縮まり、現在ではほとんど差がないといっても過言ではない。さらにいえば、そうした微妙な差は、ユーザーにとってはほとんど関係がない。

かつて日産は「100分の1の技術から1000分の1の技術へ」というキャッチフレーズで、自分たちの技術の高さを宣伝した。しかし、これは日産の経営戦略の致命的な誤りだったといえるだろう。なぜならば、1000分の1の違いを感じ取れるユーザーは、存在しないからだ。「分からない差異は、差異ではない」のである。それより「色がたくさん選べる」といった、はっきり目で見える差異のほうが、よっぽどユーザーにとっては大事なのである。

奇《く》しくも、ゴーンCEO着任後の日産で初めて開発された車種となった新型マーチは、ゴーンの決断で内装にシナモンを使うなど色を重視し、グッドデザイン賞を受賞。目標の倍を売り上げた。

「擦り合わせ」はもう時代遅れ

前項で述べたように、これからの世界では、「擦り合わせ」技術が高いことは意味を持たなくなる。

自動車は、単純な部品の組み合わせの技術だけで作れるものではなく、日本が得意とする「擦り合わせ」技術が必要だと考えられていた。しかし近い将来、自動車の主流が、ガソリン自動車から電気自動車にシフトすると、ギアをはじめ駆動を制御する装置を非常に簡略化でき、大幅に部品の数を減らすことができるようになる。

実際に中国では、田舎の町工場のような場所でオリジナルの電気自動車の生産が始まっている。ガソリンカーに比べて、技術的な障壁の低さから、新規参入する企業も増え続ける一方だ。

アップルが開発し、世界中で大ヒットしているスマートフォンのiPhoneも、ハード本体はすべて中国で作っている。本体には"Designed by Apple in California, assembled in China"と書かれており、全世界で流通するiPhoneがすべて上海から配送されているのである。

戦後長らく日本が担っていた「世界の製造業」の地位は、とっくの昔に中国に移り変わっている。だから、これまでの日本の得意技であった『ものづくり』にこだわる意味はまったくない。『ものづくり』にこだわる限り、ますます日本は世界の市場性を失っていくことが明白なのだ。

経済産業省が作成し、ネット上で話題になった「日本の産業を巡る現状と課題」というレポートがある。そこで経産省が出した結論としては、日本が目指すべき産業構造の方向性は、自動車や電気機器といった「グローバル製造業」の海外での競争力を維持しつつ、それ以外の産業（大井町の中小企業などものづくり系の産業、アニメなどの文化産業、鉄道などのインフラ）を海外の市場につなげていくというものだった。

つまり、内需の拡大はもはや限界を迎えており、日本がこのままの経済戦略をとり続ける限り、先行きは暗いということを、経産省ですら認めたということなのだ。

「会社」が存在するには、前提となる「社会」の基盤がきちんと構築されていることが必要だ。

しかしこれから数十年の日本は、人類史上でも前例のないレベルでの超高齢化が、地方だけでなく都市部でも進んでいく。年金などの社会保障や、教育や医療などの公的サービスすらも、今の形のままで国民が享受できるかどうか、危うくなりつつある。つまり社会というシステムを支える日本という国そのものが、急速に信用できなくなっているのである。それにトドメをさしたのが、東日本大震災だ。政府のひどい対応ぶりは、今さらここで述べるまでもないだろう。

だからこそ、この国で生きていく我々は、座して「国がどうにかしてくれるだろう」と状況が変化することを待っていてはいけない。それは、かつての旧ソ連の市民と同じ、他人まかせで貧しくなる道だ。

待っていても状況は悪くなる一方なのだ。今後は、個人レベルでビジネスモデルを変える、または新たなビジネスモデルを作り出す、ということに挑戦しなければ、多くのビジネスマンが生き残ることができなくなっていく。そのためにはどう考え、何をなすべきなのか、次章以降で説明していこう。

ここまでに手に入れた「武器」

★資本主義には3つのモデルチェンジ、「略奪」「交易」「生産性革命」があった。

★日本を支えてきた「擦り合わせ産業」はもはや通用しない。

★「ものづくり」にはこだわるな！　国に頼るな！

第3章　学校では教えてくれない資本主義の現在

なぜほとんどの学生ベンチャーは失敗するのか

本章では主に大学生の読者、および入社数年目の若い社会人を対象に、現在の日本で起こっている〝むきだしの資本主義〟の潮流について具体的事例を述べたいと思う。

私が大学で教えているのは、超実戦的な「起業論」である。国内・国外のさまざまなベンチャー企業がどのようにしてスタートし、大きな成功を収める要因となったのは何だったのかを、さまざまな角度から分析している。

そのため受講している学生も、卒業後、起業を考えている者が少なくない。それでよく学生から、「卒業してすぐ起業するか、いったん就職してから起業するか、どちらが成功する確率が高まるでしょうか」と質問されるのだが、私はいつも「自分が起業したい分野の会社に、まずは入ってみたほうがいいよ」とアドバイスする。

ごくまれに、人によっては就職せずに、いきなり起業して成功を収める人もいるが、ほとんどは失敗するからだ。

卒業したての学生が起業するときに、いちばんよくある失敗は、「コモディティ会社」を作ってしまうことだ。

たとえば文系の学生が、自分が家庭教師のアルバイトをしているからと、家庭教師の派遣会社を作ったり、理系の学生がプログラミングができるからといって、ゲームやシステムの開発会社を作るのが、その典型的なパターンである。

すでに家庭教師の業界も、ソフトの開発会社も、産業としては古い。現在では多くの会社が乱立し、過当競争が起きている。学生ベンチャーがその業界に新規参入し、たまたまある時期成功したとしても、それは学生の労働力が社会人に比べれば圧倒的に安くすみ、またヒマであるがゆえに仕事が速いといった理由で、一時的に競争力があったにすぎない。

そういう経緯で起業した会社が、10年ほど経って社員の平均年齢が三十数歳となり、体力で勝負することができなくなると、ただの「高学歴ワーキングプア」集団の会社になってしまう。実際にそのような例を私は数多く見てきた。

だからこそ学生は、卒業後すぐに起業するのではなく、一度就職して、社会の仕組みを理解したうえで、コモディティ化から抜け出すための出口（エグジット）を考えながら仕事をしなければいけない。

そうして出口を考えながら好機を待っていた人が、30前後で満を持して起業し、成功するパターンがベンチャーには多く見られる。

また、いきなり独立するのではなく、自分のいる部署の中で新たな事業プランを生み出したり、市場のニーズに合わせた新製品の企画を提案できるような立場になってから、予行演習をして独立する人も少なくない。そうした準備を経ずに、いきなり会社を興すのは失敗する確率が非常に高いといえるだろう。

専業主婦の高いリスク

私が教える学生たちからは、就職の相談もよく受ける。

最近の学生たちは、社会に出た先輩たちの、厳しい状況を見てきているので、「なるべく安定した職場を探し、そこに入ろう」と考えるようになっている。そのため大学生の就職先として、公務員人気が復活してきた。また大手の会社の募集には人が殺到するのに、中小企業の募集には閑古鳥《かんこどり》が鳴くという事態となっている。さらにリーマンショック以降、冷え込む一方の就職市場で、女子学生の就職は輪をかけて狭き門となっている。

就職の厳しさから一昔前にはたくさんいたキャリア志向の女子学生は減る一方、結婚して専業主婦を希望する人が増えている。しかし投資家的観点からすると、専業主婦という生き方を選ぶのも、相当リスキーな道であるといえる。

最近、早稲田大学の政治経済学部でいちばん人気のあるゼミでスピーチをすることになった知人から、こんな話を聞いた。学生に就職について話す機会があり、事前にリサーチをしたところ、女子学生の3分の1が「一般職で就職し、職場の男性と早く結婚して、寿退職《ことぶき》する」というシナリオを考えているというのである。

それを聞いた知人は、「君たちは現状がまったく分かっていない」と諌《いさ》めたそうだが、私もまったく同感だ。寿退職を狙うとはつまり、夫に自分の人生のすべてをかけるということである。死ぬまで健康な男はいない。絶対に潰れない会社も存在しない。他人に自分の人生のリスクを100％委《ゆだ》ねることほど、危険なことはないのである。

さらにいえば、その「お嫁さんマーケット」には、そこでもっともパフォーマンスの高い物件（結婚相手）をつかむために、大学に入る前からモテるためにあらゆる努力をしてきた、「女子力が高い」女の子がたくさんいる。

早稲田大学という狭いマーケットの中では、男性の友人たちにちやほやされていたかもしれない。しかし社会という広い市場に出てみると、付け焼き刃の努力では「女子力」の高い女子と戦うのは不利な戦いとなろう。だから高学歴女性が「お嫁さんマーケット」で勝負しようと思うのは、非常にリスキーな選択なのだ。

また近年の日本では、女性のほうが男性よりも大学・短大への進学率が高まっているが、それに伴って高学歴の女性であるほど結婚ができないケースが増えている。今でも、多数の男性からすれば自分より高い学歴の女性は、結婚相手として何となく引け目に感じてしまうからだ。多数の女性の立場からしても、夫のほうが自分より高学歴であるほうが世間の通りが良い、という事情がある。だから、国公立や有名私大を出た高学歴の女性ほど、対象となる男性の幅が少なくなってしまい、結婚しにくくなっているのである。

最近では収入が高い男性をがちっと捕まえて、養分を吸い取る女性を「タガメ女」と呼ぶそうだ。しかし、ずっと養分を吸い続けていれば魚(男)は死んでしまう。そう考えるとここ最近の「婚活ブーム」も一過性のもので、数年後にはまた女性がキャリアを身につけることの大切さが叫ばれるようになっているかもしれない。

就職も厳しい、専業主婦も厳しい、となれば、女子学生もまた自分で自分の道を切り開いていくしかないのである。

大学教育と企業が求める人材のギャップ

就職活動を控えた学生に、混乱をもたらしている原因のひとつとして、企業側が学生に求める資質の変化も挙げられるだろう。

ほんの少し前までは、企業側は学生に対して即戦力であることを求めておらず、むしろ「真っ白な状態で入社してもらって、一から鍛《きた》えたい」と考える企業のほうが多かった。しかし現在では、どこの企業も入社後すぐに戦力として使える人材を求めており、「一から教育する余裕はない。ビジネス社会で十分使えるコミュニケーション能力を持ち、英会話にも堪能《たんのう》な学生しか採用しない」と公言する会社も珍しくない。

この企業が学生に求める能力の変化について、教育社会学者の本田由紀《ゆき》東京大学教授は、『多元化する「能力」と日本社会』（NTT出版）の中で、「ハイパー・メリトクラシー（超業績主義）社会」という考え方を発表した。

「ハイパー・メリトクラシー社会」とは、欧米の「メリトクラシー（業績主義）社会」が、日本でさらに独自の進化をとげた状態のことをいう。

1990年代までの日本は、高い最終学歴を獲得すれば、良い就職先に入ることができ、その後の人生における収入と社会的地位を確固としたものにすることができた。学歴主義には弊害もあったが、少なくとも努力をして学校で成績を上げることが、社会的地位の上昇につながるという、分かりやすい価値観を社会と個人にもたらした。

そのため、「良い暮らしができないのは個人の努力が足りないからだ」と、社会的にも見なされ、「なぜ私は不遇なのか↓それは努力が足りなかったから」という具合に、不公平感を抑えることができていたのである。

しかし、90年代後半ごろから、日本の企業では、目に見える「テストの結果」や「学歴」に加え、「意欲」や「ネットワーク力」「コミュニケーション力」など定義があいまいで、個人の人格にまで関わるような能力が、評価の対象となりはじめたと本田教授は論じる。

95年の「EQ力」ブームや、96年に文部省（現・文部科学省）が「生きる力」の育成を答申として出したころから、企業の求人広告にも「生きる力」「多様性」「地頭力《じあたまりょく》」「能動性」「ネットワーク力」などの文字が躍るようになり、その人の全人格が評価される社会が到来した。それが本田教授の言う「ハイパー・メリトクラシー社会」である。

「ハイパー・メリトクラシー社会」の問題点は、そこで重視される能力の多くが、非常に定義があいまいであるところだ。コミュニケーション力などは数値化することが難しく、面接者との相性によっても評価が分かれる。その結果、評価される側が「何をどう努力していいのか分からない」と混乱する結果となる。

本田教授は「人間力」といった客観的に数値化することのできない、性格的特性を重視する傾向が広まることで、若者の無気力や諦め、社会に出ることへの不安を助長することにつながってしまう可能性があると指摘する。そうした能力の多くは、多分に生得《せいとく》的なもので、教育や努力を通じていかに身につけるかも解明されていない。性格の明るさやコミュニケーション力というものは、人の個性そのものである。企業が人を評価するうえで、人格や感情の深部にまで介入するのは間違いだ、というのが本田教授の主張だ。そうした理由から本田教授は、大学で各個人が学んだ専門知識を、もっと企業は評価するべきだという提案をしている。

本田教授の主張には頷《うなず》けるところもあるが、現実的ではない。なぜならば、現在ではほとんどの企業は、学生が大学で学ぶレベル程度の専門知識を必要としていないからだ。そして、本来は大学教育で身につけられる論理的思考力すら、コミュニケーション力の一部くらいに思われている。

昔は、大学の持っている知識が、企業が必要としているレベルより高いところにあった。しかし現在では、産業を牽引《けんいん》する最先端の知識は、企業の側に蓄積されているのである。企業が大学に求めるのは、現時点では何に役立つのかも分からない、スーパーハイエンドな知識だけであって、中途半端な研究は必要としていないのだ。

ここまでに手に入れた「武器」

★現役学生が起業するのは「高学歴ワーキングプア」への道。コモディティ企業を作るな！

★専業主婦はハイリスク。「婚活」ブームに踊らされずに、女性もキャリアを目指せ。

「一寸先は闇」の金融業界

ほんの少し前、２００７年ごろまで、東大、京大、慶應大などの学生の就職先として投資銀行が絶大な人気を誇っていた。激務とはいえ、入社数年で１０００万円を軽く超える年収を手にすることができる業界はほかにそうない。そのため、多くの優秀な学生が投資銀行業界を目指した。

ゴールドマン・サックスや、モルガン・スタンレー、リーマン・ブラザーズなど一流の投資銀行も、東大、京大の優秀な学生を積極的にリクルートした。ほんの十数年前までは、そうした大学から外資系証券に行くのは「変わり者」と見なされ、大蔵省に行き官僚になることこそが真のエリートと考えられていたのだから、時代の変化は実に激しい。

しかし、実は投資銀行に代表される金融・投資企業ほど変化の激しい業界はない。ある時期に多大な利益をもたらした商品が、あっという間に儲からなくなるということがこれほど日常茶飯事の世界もないだろう。

金融派生商品のひとつである「スワップ取引」が儲かるとなれば、たちまちブームとなりあらゆる金融機関がそこに参入する。次に「不動産証券化」がどうやらオイシイようだ、と話題になればこぞって建物を買いあさる。そうしたビジネスで利益の果実を得られるのは、最初に参入した少数の会社のみであることがほとんどだ。

金融機関それ自体、特定の商品のみに強くなるということは、すごくリスクの高いことなのである。経済環境の変化で、あっという間に、その商品自体の商品価値がなくなってしまうことが現実に何度も起こっているからだ。

たとえばほんの数年前まで、日本では不動産の証券化ビジネスがたいへん儲かっていた。バブル崩壊後、長年低落していた土地やビルの空き室、商業施設などをまとめて買い占め、証券化して売り出すビジネスである。

外資系証券が日本中のゴルフ場やリゾートホテルの買収に乗り出したのはわずか10年ほど前のことである。彼らは「ハゲタカ」と恐れられながら次々に日本の土地やビルを底値で買いあさり、2003年ごろからの首都圏を中心とした土地のミニバブルを背景に売りぬけ、莫大な収益を上げた。

国内企業でも、ほんの2〜3年前までは、多くの会社がこの不動産証券化ビジネスに乗り出し、大儲けしていた。

投資は地面に死体が転がっているときに

そうした会社のひとつを経営していたX氏についてお話ししよう。X氏はもともと、日系不動産会社のアメリカ支社に勤務しており、30年以上、アメリカの不動産取引の最前線に身を置いていた。彼が得意としたビジネスは、経営が傾いた企業の保有する保養地や研修施設を格安で買い取り、それらをリニューアルして、リゾートクラブなどに売却するというものだった。折しも当時、アメリカではリゾートブームが起こり、彼が設立した会社はその波に乗って大儲けした。リゾートバブルは数年しか続かなかったが、幸いにもX氏はバブルが弾《はじ》ける前にエグジットする（売り抜ける）ことができた。

そして次のターゲットを探し始めてすぐに、世界中の不動産マーケットの中でも、もっとも金利と不動産の利回りの差が大きい国が、日本であることに気づいたのである。

当時の日本の金利はほとんどゼロ。不動産の価値は下落しており、買い叩くことができる。そのことに気づいている人間は少ない。彼にとって投資しない理由はなかった。

そこで彼は、日本の不動産に投資することについて、よく知る投資家たちに説明して回ったが、最初は理解してくれる人がいなかった。しかし一人のユダヤ人の投資家が、アイディアを聞いて最初に投資することを決める。

その投資家は、X氏の実績と実力を見て投資することを決めた。ほかの投資家たちは、「日本はもはや終わっている国だ」とバカにして、誰も投資しなかった。その後、X氏の創業した投資会社は2003年ごろから首都圏を中心に起こる不動産のミニバブルの波に乗り、莫大《ばくだい》な利益を上げる。

X氏の会社は、日本一社員の給料が高い会社としてマスコミに何度か取り上げられることになる。しかし、リーマンショック後の不動産バブルの終焉《しゅうえん》とともにあっという間に業績が悪化し、2010年に上場廃止となり、X氏も社長の座から身を引いた。現在では細々と事業を続けている。これはもっともドラマティックな話だが、この会社と同様の事業を行っていた不動産ファンド各社も数多く倒産した。

「ブームとなってから投資すると、死ぬ」というのが投資の鉄則だ。誰も投資など考えられない、焼け野原のようになっているときに投資して、誰よりも早く実った果実を回収し、「まだまだ儲かる」と普通の人が思い始めるタイミングでさっと身を引く。

これが、成功する投資家に共通する思考法だ。世界でもっとも長期にわたって成功している投資家一族、ロスチャイルド家も、この考え方で莫大な資産を築いてきた。「地面に死体が転がっているような不景気なときに投資をし、まだ早すぎるというタイミングで売り抜けろ」というのがルールなのである。えげつないといえばえげつないが、投資というシビアなゲームに臨む姿勢については、我々も学ぶべき点が多々あるだろう。

世間が悲嘆に暮れているときにこそ、小さな希望を前向きに捉えること。そして、うまくいっているときにこそ、「まだいける」という我欲をコントロールして冷徹に判断しなければいけないのだ。

就職人気ランキングに見る生き残る会社、ダメな会社

現在の日本で、安定した職場というのは本当にあるのだろうか。週刊誌やビジネス誌ではよく「良い会社、悪い会社」といった特集を組んで分析しているが、はっきり言えば「そんなものはない」というのが私の結論である。

次ページに掲げた、1971年時点の学生の就職人気企業ランキング上位の企業を見れば一《いち》目瞭然《もくりょうぜん》だ。表の中の、社名が白抜きになっている会社は、現在までに1回は潰れている。アミをしいている会社は、青息吐息の状態にある。

1971年当時の就職人気企業ランキング

企業名
日本航空
伊藤忠
日本交通公社
松下
丸紅飯田
電通
ダイエー
朝日新聞
近畿日本ツーリスト
日本ＩＢＭ
長崎屋
毎日新聞
サントリー
西友ストアー
日立製作所
資生堂
ＮＨＫ
三井物産
日本旅行
ソニー
日商岩井
ＮＴＴ
三菱商事

この40年間で日本を覆った規制緩和とグローバリゼーションの波に耐えられなかった会社はのきなみ倒産するか、ビジネスそのものが陳腐化（コモディティ化）して苦境にあえいでいる。

この表を見ると、現在、生き残っている日本企業のほとんどは、グローバルブランド化した会社であることが分かるだろう。２００８年に松下電器産業株式会社がパナソニック株式会社に社名を変えたのは、日本の市場だけを見ていては今後生き残ることができないと判断したからである。海外では「松下電器」よりも「パナソニック」というブランド名のほうが広く知られている。そのため、より強いグローバルブランド化を図るためには「パナソニック」に統一するほうがいいと経営陣は考えたのである。

また商社の中でも、生き残っているのは、三井物産や三菱商事といった世界的に多角展開を図っている企業だ。彼らが生き残り続けていられるのは、会社のビジネスモデルを単純な「輸出入業務」から「投資モデル」に替えることで、グローバリゼーションに対応したからだ。それまでの総合商社は、単純にモノを右から左に動かしてサヤを抜くビジネスをしていたのだが、時代の変化とともにそれが通用しなくなったため、自社がリスクをとって投資をして、収益を上げるビジネスに業態を転換したのである。

たとえば三菱商事は、ケンタッキーフライドチキンやローソンへの資本・経営参画で大きな利益を上げているほか、長銀への投資で成功した外資系投資ファンド・リップルウッドと提携関係にある。ライバルの三井物産は、レアメタルやエネルギー資源への投資が大きく報われただけでなく、ロスチャイルドの資本と合弁して、アクティブ・インベストメンツ・ファンドというファンドを作り、ニッセンやハナエモリなどの企業に投資事業を行った。また、日本における買収ファンドのパイオニアであるアドバンテッジパートナーズは丸紅と強い提携関係にある。

中国や韓国、台湾などの国々が高度に産業化する前の時代であれば、コモディティ商品を作っている日本企業も国際的な競合が少ないことから、その専門分野に特化することで業績を伸ばすことができた。しかしその位置に安住し続け、グローバル化が進む中で努力を怠《おこた》った企業の多くは、ほかのアジア新興国企業の台頭によって商品が完全にコモディティ化するとともに没落してしまった。利益が限界近くに落ちこみ儲けられなくなっているのだ。一歩、二歩先を睨《にら》み、業態変更をした企業しか、生き残れない時代となっているのである。

優秀な人材の海外流出が始まっている

経済人や文化人の中には、「日本がこれ以上グローバル化する必要はない。それより国内に目を向けて、内需を拡大するほうが良い」と主張する人が少なくない。

しかし国同士の競争に背を向けて、経済が縮小するままにしておくことは、人材の流出という深刻な弊害を日本にもたらす。外国企業に行けばより豊かな暮らしができるとなれば、優秀な人材ほど率先して他国に逃げていくことは間違いないからだ。

実はすでに、こうした「人材流出現象」は、国内でも都道府県レベルで起きている。たとえば大阪府は、現在日本でもっとも生活保護受給率が高い地域だが、これも優秀な人が首都圏に出ていき、稼ぐ力が少ない人の比率が相対的に増えたことが原因のひとつといえる。

長年、日本でいちばん失業率が高い地域は沖縄だった。しかし沖縄では、リゾート開発などが進み雇用が増え、失業率も最近では、多少改善されてきている。一方、これといった魅力を打ち出すことのできないでいる大阪が、現在ではいちばん失業率の高い地域となっているのである。

このように、都道府県レベルではすでに起きている人材流出が、今後は国レベルで起こり始めることは間違いない。現実に、日本の長期不況による就職難から、若者が上海や香港で職を求めるといった動きが増え始めている。

世界的なシェア拡大を続ける韓国の電機メーカー、サムスンが大きく躍進した理由の一つも、日本の大手電機メーカーから、日本人の優秀な技術者を高給で引きぬいたことにあるのは有名な話だ。

国家間の人材移動においていちばんの障壁となるのは、言葉の問題だが、多少の英語力があり、ITスキルなどの武器があれば、SE（システムエンジニア）などの職種の人から国外で仕事をしていくことが一般的となっていくだろう。

実際、今の日本では、ＩＴ業界のエンジニアの人々が、国内需要が減少してしまい、余ってしまっている。そのため、毎日寝ることもままならない悲惨な待遇でこき使われているＩＴ技術者たちがたくさんいるのである。

しかし、アメリカや中国では、それなりのスキルを持ったＩＴ技術者は人材不足の状況が続いている。日本では６００万円程度の給料に甘んじているプログラマーでも、アメリカに行けば日本円に換算して、１０００万円くらい稼げるような状況があるため、英語の話せる人から日本に見切りをつけて、どんどんアメリカに移住しているのである。

ここまでに手に入れた「武器」

★金融業界など高給で知られる会社ほど、変化が激しく、短命な商品の寿命がそのままビジネスの寿命になる。
★現在人気の企業でも40年後は消滅している可能性が大。就職ランキングに騙されるな！
★日本の国内市場は先細り間違いなし。海外で働くことも考えよ！

ブラック企業の見分け方

この章の最後に、就職・転職希望者に向けて、「入ってはいけない会社」の見分け方について、具体的にアドバイスしたい。

まずベンチャー企業で注意すべきなのは、新しいサービスや市場で、非常に業績を伸ばしているように見える会社だ。売る商品が決まっていて、急激に拡大している市場があり、多数の会社がその市場に殺到しているときは、シェアの奪い合いになる。そのため短期間に大量の営業社員を募集する必要が出てくるわけだが、得てしてそういう会社はブラック企業になりやすい。

そのような会社に営業職で入社した場合、研修があればまだマシなほうで、「とにかく何でもいいから注文を取ってこい」と放り出される。会社側も人材を長期的に育成しようなどとは考えておらず、ひたすら営業をさせて売り上げを立てることを至上命令とする。ノルマが達成できない営業マンは、当然給料が低いまま上がらず、上司からも厳しく当たられる。そのため長く仕事が続けられる社員は少なく、次々に辞めていく。当の会社はテレビコマーシャルなどで社名の認知を上げているので、募集をすればたくさんの応募があるし、社員が辞めたところで痛くも痒《かゆ》くもない。商品を売るスキルもいらないため、営業マンは若くて安い給料で働いてくれるなら誰でもよく、短期間で辞めてもらったほうが好都合でもあるのだ。

いつの時代でもこうした会社は存在するが、ＩＴブームのころに各地で携帯電話の販売店を大量出店した某社や、最近でいえばクーポンビジネスのトラブルで話題となった某社の業種などが、まさにこのタイプのブラック企業と言えるだろう。

同様の理由で、やたらとテレビコマーシャルを打っている企業も要注意だ。

15年ほど前、テレビコマーシャルで大量の露出があったこともあって、とくに女子学生の間で就職先として人気が高かった、英会話スクール運営会社があった。その知名度の高さと、「この会社に入れば英語が勉強できる」「英語関連の本を出す出版部門もある」「かっこいい外国人講師と一緒に仕事ができる」などの理由もあって、一時は女子学生の就職人気ランキングのトップ10に入っていた。

だが実際に就職してみると、会員獲得のノルマが厳しく課せられ、コマーシャルを見てやってきた見込み客に対して必死の営業活動をするのが仕事となる。そのプレッシャーは相当なものであったらしく、1年持たずに辞める社員がたいへん多かったため、一時はトヨタ自動車の採用をも上回る１０００人近い新卒学生を募集していた。

この会社のビジネスは、一度会員を獲得して数十回分の授業のチケットをローンで買わせれば、キャンセルしてもほとんど返金せずに済んだため、何より一人でも多くの会員を獲得することが会社の利益に直結した。そのため実際に授業を受けられるコマ数を超えて大量の授業チケットを発行したため、せっかく購入したのに授業の予約がとれないという状況が続いた。数年前、それが社会問題化したため、キャンセルする会員に残り分の受講料を返金するよう行政が指導したところ、一気に会員の解約が続き、瞬《またた》く間に倒産することとなった。

この会社が典型だが、多くの場合、大量のコマーシャルを放映している会社というのは、「新規顧客を獲得するのは大変だが、一度カモ（お客）を捕まえればとても高い利益を生むビジネス」を行っている。商品自体に特徴や魅力が足りないため、無理やり売り込む必要があり、そのために大量の営業マンを雇うようになるのである。

流行に乗るのは危険

「世の中でこれが流行《はや》っているから」と現時点で話題になっている業界の会社に就職する学生は多いが、それも非常に危険な選択である。

２０１１年には、ソーシャルゲームの業界が大いに盛り上がって、多くのＩＴベンチャーが新たなゲームの開発に乗り出した。ソーシャルゲームは、携帯電話で手軽に無料で釣りやスポーツなどのゲームが楽しめるとあって大流行しているが、現実は厳しい。ベンチャー企業が必死に開発したゲームのうち、百に、いや千にひとつかふたつが大ヒットするかどうかの世界である。

グリーやＤｅＮＡのようなプラットフォームを握っている会社からすれば、ソーシャルゲームを下請けの会社がたくさん作ってくれて、そのうちのひとつが大当たりしてくれれば、それで御《おん》の字《じ》。あるひとつのゲームが流行ってもそのブームは長続きしないが、次から次へと新たなゲームを開発させて、市場に投入すればいいだけの話である。

小さなゲームソフト会社が大手のＩＴ企業などから「ソーシャルゲームの開発をしないか。大ヒットすれば大儲けできるよ」と持ちかけられるのは、たとえるならば街を歩いていて「君、才能ありそうだからタレントにならないか。スターになったら大金持ちだ」と声をかけられるのと、ほとんど変わらないのである。

芸能界とＩＴベンチャー業界が似ている点はもうひとつある。昨今の芸能界でお笑い芸人として成功したいのならば、「お笑い市場」の大半を牛耳《ぎゅうじ》っている吉本興業に所属するのが近道だ。同様に昨今のゲーム業界も、ベンチャーがヒットを飛ばすならばグリーかＤｅＮＡのモバゲー、どちらかのプラットフォームで出すしかない状況となっている。

グリーやＤｅＮＡにとっていちばん怖いのは、自分たちの作った土俵をひっくり返すようなサービスを新たなベンチャー企業が作ってしまうこと。つまり吉本興業がテレビの「お笑い市場」をがっちり握っているように、ソーシャルゲームの市場をがっちり囲い込むことで、下請けの中から自分たちのライバル会社となるような存在が出てくることを防いでいるのである。ソーシャルゲーム開発の下請け仕事をさせることは、才能ある若者を「飼い殺し」の状態にすることで自らの保身を図ることにもなるのだ。

最近ではケータイのソーシャルゲームのコマーシャルを見ない日はないが、「大量の広告を打っている企業は要注意」という法則もあてはまる。市場の天井が見えつつあるソーシャルゲーム業界にあえて就職するのは賢い選択とは言えないことが分かるだろう。

さらに言えば「現在絶好調な会社」に就職することは、言葉を変えると、「数年後にはほぼ間違いなく輝きを失っている会社」に就職することとほとんど同義である。それはこの15年のＩＴ業界を振り返ってみてもよく分かる。

日本におけるインターネットの黎明期である１９９８年ごろまでに、楽天やヤフーに転職した人は、急激に伸びる市場の中で働くことで多額の報酬を手にすることができた。自社が上場したことで、ストックオプションで株を持っていた従業員の中には数千万円を手にした人もいる。

しかし2011年現在、その2つの会社に入ったとしても、単なる一営業マンか一オペレーター、一社員にしかなれない。楽天もヤフーもすでに大企業だが、「普通の会社」になってしまった今、就職しても「うまみ」はないのである。

世界のIT業界の栄枯《えいこ》盛衰《せいすい》も非常に目まぐるしい。ここ最近、グーグルからフェイスブックに多くの人が転職しているが、2000年代にマイクロソフトに代わってネットの世界を支配すると思われたグーグルすらも「天井」を迎え、これ以上の成長はないと見られつつあるのである。

どんなに素晴《すば》らしい企業も、未来永劫《えいごう》その価値を維持し続けることはできない。現代において、働く個人が常に経済的、社会的に高いポジションを維持するためには、次にどのビジネスモデルが成功するか潮流を見極めながら、転職を繰り返すことが必然の行動であることが分かるだろう（たとえば、一部IT企業は海外に新しい成長市場を求めつつある。かくして、大手商社マンがこの機会をものにすべく、こうした会社に続々と転職している）。

投資の世界では「高すぎる株は買ってはいけない」というのが常識である。

会社選びも同じだ。就職・転職希望者には、自分が就職を検討している会社が「高すぎる状態」になっていないか、よく考えてみることをお勧めしたい。

若者を奴隷にする会社

中小企業でブラック化するパターンに多いのは「カン違いカリスマ社長が君臨し、イエスマンだけが役員に残り、社員はみな奴隷」という構図だ。特色のない町工場などは、会社の主力商品自体が大企業に買い叩かれるコモディティ商品であるため、それでも会社が無理矢理利益を出そうとすると、給料を下げて従業員を搾取《さくしゅ》するしかなくなってしまう。だから、奴隷状態でも甘んじて働く社員しか残らない。

ある経営者は、「うちの会社はお客さんが儲けさせてくれるんじゃなくて、社員が儲けさせてくれるんです」と述べていたが、現代においても形を変えた「奴隷ビジネス」はまだ続いているのである。

同じことは中小企業に限らず、大手企業にもいえる。業種・業界を問わず、商品がコモディティになってしまった業界は、商品を安く仕入れて、安く売るしかない。コモディティ市場で戦う会社は必然的にブラック企業になる運命なのだ。

たとえばＩＴのシステム開発会社などでも、特別な技術を持たず、さまざまな案件を人海戦術でこなすのが売りの会社は、ブラック化しやすい。「2ちゃんねる」のブラック企業ランキングを見ると、幅広い業界で「安いこと」を売りにする会社がブラック化していることを見てとることができる。

歴史のある会社でも、先行きがあまり明るくない企業を見分ける方法はある。まず40代、50代の役職者が大量にいる会社は危険だ。生産性が低いのに給料が高い高齢社員がたくさんいるということは、彼らの給料や退職金を稼ぐために、若い社員がたくさんの負担を課せられているということだ。

また古い会社は、現在そこで働いている社員だけでなく、退社した社員の福利厚生が現役社員の重しとなっているケースもよく見られる。破綻したＪＡＬが、辞めた社員の年金を払い続けるかどうかでモメていたが、今後も多くの破綻していく企業で年金問題がクローズアップされることだろう。現在40代から50代の社員が幸せそうにしている会社は、そこで働く若者の犠牲によって成り立っている可能性が大いにあるのだ。

ニッチな市場に目をつける

就職希望者に「これから伸びる産業はどこでしょうか」とよく聞かれるが、それがはっきり分かれば投資家は誰も苦労しない。

ただし明確に言えるのは、すでに多くの人に注目されてしまっている分野には行かないほうがいいだろう、ということだ。たとえば昨今の原発事故の影響で、にわかに太陽光や風力発電などの自然エネルギー事業に注目が集まっている。しかしそれらの事業を行っている会社に今から飛び込んだとしても、すでに多くの会社が参入しているため「うまみ」を得るのは難しい。既存の原発関連の事業に従事する人々の仕事を、すべて置き換えるほどの市場規模になるのもしばらくは無理だろう。

就職先を考えるうえでのポイントは、「業界全体で何万人の雇用が生み出されるか」という大きな視点で考えるのではなくて、「今はニッチな市場だが、現時点で自分が飛び込めば、数年後に10倍か20倍の規模になっているかもしれない」というミクロな視点で考えることだ。まだ世間の人が気づいていないその市場にいち早く気づくことなのだ。

過去の事例でいえば、中学受験の塾市場がそれにあたった。今のように中学受験が過熱する前は、栄光ゼミナールのような現在最大手の塾も、埼玉県にある小さな学習塾にすぎなかった。しかし同塾は、子どもの人口増加と、中学受験の過熱という2つの波にうまく乗り、次々に各地域に進出し、上場するまでの成長を遂げた。2011年現在では、中学受験を専門とする学習塾というのはすでに飽和状態にあるが、少し前は「宝が埋まっている山」だったのだ。

日本の景気全体が良くなり、この国で生きているだけで幸せになれる、という時代は残念ながらもうこない。

特定の産業があるタイミングで大きくなり、そこで働いていた人が一時的に潤《うるお》うが、そこにあとからやってきた人は報われない、という状況が繰り返されるだけだ。

これから就職や転職を考える人は、マクロな視点を持ちつつ、「これから伸びていき」「多くの人が気づいていない」ニッチな市場に身を投じることが必要なのだ。つまり就職においても後に述べる「投資家的視点」を持っているかどうかが成否を左右するのである。

どのような会社に就職すべきかについて悩む人に、最後にこの言葉を贈りたい。

高級ホテルチェーンを世界で経営するマリオット・グループは、ホテルマネージャーの心得として次のように述べている。「従業員に対してお客さまのように接しなさい。そうすれば従業員はあなたが接したように、お客さまに接するでしょう」
つまり従業員を大切にする会社は、顧客を大切にする会社なのである。逆にいえば、顧客を大切にしない会社は、従業員も大切にしない会社なのだ。会社のビジネスモデル自体がお客さんを小馬鹿にしている、あるいは馬鹿なお客さんをターゲットとしている会社には、長期的には未来がないと考えていいだろう。

ここまでに手に入れた「武器」

★大量のコマーシャルを打っている会社、「今流行っている」商品・サービスを売る会社には気をつけよ!

★生産性の低い40代、50代社員が幸せそうにしている会社には入るな！

★企業を見極めるポイントは「お客さんを大切にしているか」。顧客を大事にする会社は従業員も大切にする。

第4章

日本人で生き残る4つのタイプと、生き残れない2つのタイプ

儲かる漁師と、儲からない漁師

ここまで現在の日本に押し寄せている「本物の資本主義」の波について具体的な例を示しながら話してきた。

それではここからいよいよ、資本主義の世界で、儲けることができる人と、儲けることができない人は、どのような要素で決定するのか、説明していきたいと思う。そのことを説明するために、分かりやすいたとえ話をしよう。

海で魚をとる漁師にも、儲かる漁師と、儲からない漁師がいる。

儲からない漁師というのは、自分では何も考えず、ただ人に使われているだけの漁師である。彼は単なる労働力としてしか見なされず、いなくなったとしても、代わりの漁師を雇えば誰も困らない。つまり「コモディティ」の漁師だ。

それでは、儲かる漁師とは、どんな働き方をしているのだろうか。

まず1番目に挙げられるのが、「とれた魚をほかの場所に運んで売ることができる漁師」だ。

その日の水揚《みずあ》げを、魚がとれない山の上の村まで運んでいって、畑でとれた野菜と交換したり、売ったりすることができる漁師である。山の上まで重い魚を持っていく体力と根性が必要となるが、多くの魚を運べばそれだけ稼ぎも増やすことができる。

2番目が、一人でたくさんの魚をとるスキルを持っている漁師である。ほかの漁師が1時間かけて10尾の魚しかとれないところを、彼は一人で20尾の魚をとることができるとしたら、当然その魚を売った収益は2倍になる。あるいは、自分だけが知っている秘密の漁場があって、ほとんどの漁師がとることのできない珍しい魚や貝をとることのできる技術を持っている漁師も、収益を上げることができるだろう。こうした漁師は、いわば「職人的な漁師」である。

3番目は、「高く売れる魚を作り出すことができた漁師」だ。

ほかの漁師が「とれてもどうせ売れないから」と捨ててしまっているような魚があったとする。彼はその魚に目をつけて、「みんなはこの魚をゴミのように思っているけれど、この料理法で調理すれば、非常においしく食べることができる」という提案をする。つまり魚に対して「付加価値」をつけて、調理法という「ストーリー」とともに売るのである。この方法は、元がタダ同然で捨てられていた魚なのだから、人気が高まればとても高い利益を生み出す。

4番目が、「魚をとる新たな仕組みを作り出す漁師」だ。

ほかの漁師がすべて釣《つ》り竿《ざお》で一尾ずつ魚をとっているところを、漁船を使って大きく定置網を設置すれば、当然少ない労力で多くの魚を得ることができる。あるいはみんなが使っている釣り竿に「リール」をつけて、より遠くの魚をとることを考案したり、生きているエサを使い続けるより「ルアー（疑似餌）」を使うことで、より楽にコストをかけずに魚をとれるようにする。この漁師は、いわば「発明家」のようなタイプと言える。

5番目が、「多くの漁師を配下に持つ、漁師集団のリーダー」である。

人望があり、リーダーシップに優れ、彼の船のもとには多くの若手の漁師が集まり、彼の指示に従ってチームワークで漁を行う。季節によってどの漁場で魚をとるか、それぞれの持ち場に誰をつけるか的確に指示を飛ばし、彼に従うことで多くの漁師が安定した漁獲高を確保できる。そのような漁師もまた、多くの収入を得ることができるだろう。「リーダー型の漁師」だ。

そして最後が、「投資家的な漁師」である。

彼は、自分自身が漁師でなくても構わない。しかし漁についての知識は深く、今市場ではどの魚が売れるのか、どういうルートを使えば新鮮なまま魚を売ることができるのか、魚を売るビジネスのあらゆる側面について熟知している。

そして彼は、魚をとるための漁船と網を保有している。船を動かす燃料を買ったり乗組員に支払う給料のための資金も、潤沢《じゅんたく》に持っている。彼自身がリーダーとして漁船を率いるときもあるが、基本的には表に出ない。

彼が所有する船に乗っている漁師が多くの魚をとれば、彼はほかの漁師に報酬としての魚を渡し、残りを自分のものとすることができる。ここに挙げた儲かる漁師の中でも、このタイプの漁師がもっともたくさんの魚を得ることができる。それは彼自身が漁に出る必要がなく、船の数をどんどん増やしていくことができるからだ。しかし、それはけっして「不労所得」ではない。市場の読みを間違えて、とってきた魚がだぶついていればそのまま自分の損になる。漁師のリーダーに不適格な人を就《つ》かせてしまえばこれまた大損である。

つまり「投資家的な漁師」は究極の結果責任を負う。すべて自己責任であり、誰に責任を押しつけることもできず、自分で考え判断しなければあっという間に資本を失ってしまう。

つまり儲かる漁師を分類すると、次の6つにそのタイプを説明することができるだろう。

1、商品を遠くに運んで売ることができる人（**トレーダー**）

2、自分の専門性を高めて、高いスキルによって仕事をする人（**エキスパート**）

3、商品に付加価値をつけて、市場に合わせて売ることができる人（**マーケター**）

4、まったく新しい仕組みをイノベーションできる人（**イノベーター**）

5、自分が起業家となり、みんなをマネージ（管理）してリーダーとして行動する人（**リーダー**）

6、投資家として市場に参加している人（**インベスター＝投資家**）

まず理解していただきたいのは、「資本主義社会の中で安い値段でこき使われず（コモディティにならず）に、主体的に稼ぐ人間になるためには、この6タイプのいずれかの人種になるのがもっとも近道となる」ということである。あなたの身の回りにいる、自分自身でビジネスを行っていたり、会社で雇われて働いていても大きく稼いでいる人は、この6タイプのどれかに当てはまるはずだ。

価値を失っていく2つのタイプ

だがこの6タイプの中でも、今後生き残っていくのが難しくなるだろう人種がいる。

それは、最初に挙げた「トレーダー」と「エキスパート」という2つのタイプだ。

コモディティ化が進む現在の社会では、これまでならば、さまざまな職場で求められ活躍できたタイプの人種が、どんどん必要とされなくなっていく。

まず「トレーダー」とは、単にモノを右から左に移動させることで利益を得てきた人のことを指す。会社から与えられた商品を、額に汗をかいて販売している日本の多くの営業マンがここに分類される。

「そんなことはない。すべての商売において営業力は基本だ」と主張する人もいるだろう。

しかしインターネットの普及によって、人々の購買行動は、一昔前に比べて劇的に変化している。

ＢtoＢ（企業と企業との商取引）、ＢtoＣ（企業と消費者との商取引）の別を問わず、これまで個々の営業マンの人間的能力と労力で培《つちか》われてきた購買行動が、ネットによって激変した。何かモノを買おうと思ったら、グーグルの検索窓にその商品名を入れればいい。瞬時にすべてのメーカーが提供する同一ジャンルの商品が一覧で表示され、その価格からスペックまで比較検討できる。消費者は同じ商品ジャンルの中から、もっとも安いものを選んで買えばいい。

これと同じことが、あらゆる企業の仕入れや見積もりでも起きている。個々人の営業力頼みの商売はもはや時代遅れとなり、価格の透明化も進んでいることから、営業利益、つまり「サヤ」を抜くのが年々難しくなっているのである。

企業においても「トレーダー」的な業種、つまり商品を「右から左へ」と渡すことで稼いでいた企業はどんどん経営が苦しくなっている。商社をはじめ、広告代理店や旅行代理店など、いわゆる「代理」業務を行ってきた会社は、インターネットの普及によってビジネスモデル自体に構造の転換が迫られている。

トレーダー、必死の生き残り策

トレーダー的な仕事として、今後厳しくなっていくと予想される広告代理店に、今何が起きているのか。かつての広告会社で花形の職業は、アカウント・エグゼクティブ（ＡＥ）と呼ばれる営業職のプロフェッショナルだった。特定の顧客（広告主《こうこくぬし》＝クライアント）との直接窓口となって、あらゆる交渉業務にあたるのがＡＥの仕事だ。顧客の要望に応じて、自社のマーケターやクリエイター、メディアプランナーを集めたチームを編成し、企業の広告活動における現場の司令塔としての役割をＡＥは果たしてきた。

　トヨタやパナソニックといった大手企業の広告予算は、年間で数十億円にのぼることもある。その扱いが自社でとれるかどうかは、広告代理店にとっても経営の浮沈に関わる。そのためＡＥには接待費・交際費を含んだ多額の給与が支払われてきた。一般の人々がイメージする「夜の街でブイブイ言わせている広告マン」のイメージは彼らが作ったといって間違いない。

　しかし状況は２０００年代に入ってから大きく変わり始めた。長らく続くバブル後の景気低迷により、多くの企業が広告予算を縮小し、広告制作費とメディア（テレビや新聞などの広告スペース）購入費のコストカットを代理店に強く要求するようになった。またマスメディアの広告価値が下がっていく中、ネット広告の重要性が年々高まっていくのにつれて、それまでは厳密に問われなかった「広告効果」に対して、クライアント（広告主）側が厳しい目を向けるようになった。

一方、まったく新しいネットメディアにおいては、既存の広告代理店を通して発注する必要性すらなくなる。そのため、大手クライアントやテレビをはじめとする主要メディアとの関係性の強さを売りに商売をしてきた大手代理店は、その仕事の価値が低下していくことになったのだ。

その一方で、マーケットリサーチャーやクリエイターのような、自分の専門性を直接クライアントに広告サービスとして提供できる人は、代理店にいること自体の意味がなくなっていった。そのため、大手の代理店で花形クリエイターとして活躍していた人々が次々と独立している。ユニクロやキリンの広告を手がけ有名になった、クリエイティブスタジオ「サムライ」の佐藤可士和《かしわ》氏などがその筆頭だ。

同じくトレーダー的業種の代表である総合商社も、商品を右から左へ流してサヤ（手数料）で稼いでいた部門は壊滅状態だ。儲けているのは、何十年も前から計画して自らも資本を投下した、サハリンの油田や天然ガスの開発など、資源開発プロジェクトのみである。また半導体などの専門商社も、独自の稀少価値のある商品を扱えていない会社は、非常に苦しい状況にある。

アパレルや流通の業界も、単に自社の店舗に商品を置くだけで儲けていた会社はどんどん潰れている。かつては栄華を誇った高級デパートも、現在ではデパートに入る有力なテナント（高級ブランドの店舗など）のほうが立場が強くなっている。

若者向けファッションブランドなどのテナントは、独自にマーケティングをして商品開発を行っているため、流行や世の中の動向に応じて素早く変化に対応できる。一方、立地と建物にしばられる高級デパートは、賃料を安く設定してでも、集客力のあるテナントに入ってもらったほうがありがたいのである。

昔の高級デパートは、テナントを「入れてやる」商売だったのが、現在では「入ってもらう」立場に180度逆転したのだ。

エキスパート、変化に乗り遅れる

生き残りが難しくなるもうひとつのタイプは、「エキスパート」だ。

エキスパートとは、専門家のことを指す。ひとつのジャンルに特化して、専門知識を積み重ねてきた人は、これまではあらゆるジャンルで尊敬の対象だった。しかしこれからは、生き残るのが難しい人種となる。

エキスパートが食えなくなる理由は、ここ10年間の産業のスピードの変化がこれまでとは比較にならないほど速まっていることだ。産業構造の変化があまりにも激しいために、せっかく積み重ねてきたスキルや知識自体が、あっという間に過去のものとなり、必要性がなくなってしまうのである。

かつて日本で石炭産業の黄金期であった1950年から60年代、炭鉱会社は非常に儲けていた。そこで働く炭鉱労働者も、とても高い給料を得ていた。炭鉱技術者も人気の仕事であり、当時の大学でも、マイニング（採掘）の技術が学べる学科というのは人気だった。

しかし1960年代の半ばから、エネルギーの主体が石炭から石油に代わったことにより、マイニングエキスパートの人は、一気に仕事がなくなってしまう。石油の採掘もその利用方法も、炭鉱や石炭とはまったく違う知識と技術が必要だったからだ。

1960年代までのアメリカでは、ケミカル（化学工業）の技術が産業を牽引《けんいん》していた。しかしその市場は電子工学に移る。その後、インターネットが登場したのと歩調を合わせてIT産業が勃興し、その後もモバイル通信、クラウド技術……と、主要産業が移り変わりを繰り返している。

そして、今や「石炭から石油へ」レベルの激変が、毎日のように産業界で起こっている。IT産業に限っても、本書刊行前の数ヵ月で、グーグルのモトローラ買収、ヒューレット・パッカードのパソコン部門撤退、マイクロソフトが時価総額・売上高に続いて利益でもアップルに抜かれる、そのアップルでもスティーブ・ジョブズCEOが退任……と激変が報じられた。そして、今後の数ヵ月でも、さらなる状況の変化が起こるだろう。

ある時期に特定の専門知識を身につけても、その先にあるニーズが社会変化に伴い消えると、知識の必要性自体が一気に消滅してしまうのである。

これがエキスパートが生き残るのが難しい理由だ。

消えゆく業種でも、「スペシャリティ」は稼ぐ道がある

トレーダーとエキスパート、つまりこれまでのビジネスにおいて重要とされてきた、「営業力」と「専門性」、その2つが実は風前の灯《ともしび》となっているのである。

何かの分野のエキスパートであることや、モノを動かしてサヤを抜くという仕事は、かつての生産性革命の時代や、国家間での貿易で儲けていた時代にはヒーローでいられた。しかし、

今現在の「付加価値を生む差異があっという間に差異でなくなり、コモディティ化した人材の値段がどんどん安くなっている時代」には、時代遅れの人々にならざるを得ないのである。

トレーダー的、エキスパート的な仕事は、先に挙げた商社などの業種に限らず、幅広い業界に存在する。

たとえば企業の海外駐在員という仕事の需要も減ってくるだろう。かつて、日本の企業は大量の海外駐在員を世界中に派遣していた。アメリカやイギリスで情報を集めて本国にレポートを送るのが仕事だったが、「ウォール・ストリート・ジャーナル」は東京でも読めるし、アメリカの金融業界の情報も在米のアナリストが直接ブログなどで発言している。英語が読めれば国外に人を置く必要がない。ただ情報を集めてくる、英字紙を切り抜きする人というのは、もういらないのである。

もちろん、本当に深いところの情報はネットでは手に入らない。だが逆にそういう情報は現地の人とのネットワーキングによって得られるものであり、中途半端な駐在員がたくさんいればいいというものではない。

ある商社出身の女性は、もともといた会社で身につけたノウハウを生かし、日本企業のアメリカ進出のサポートをビジネスにしている。たとえば、ある日本企業が、新しい分野に進出するために、アメリカでの提携先としてベンチャー企業を探したいとする。しかし現地の詳しい情報も、人的なネットワークも持っていない。そういうニーズに応えるのが、彼女のビジネスだ。

事務所の不動産を借りるところから、現地の見込み顧客への橋渡し、現地スタッフのリクルーティングなど、アメリカにおけるベンチャービジネス立ち上げ時に必要なあらゆることを彼女はサポートする。これは要するに、「ひとり商社」である。

このままではメディア業界人も生き残れない

同様に、これからさらに厳しくなっていくと予想されるのがメディア業界だ。インターネットの普及以前は、海外と日本の「情報格差」がメディアの収益を生み出していたわけだが、今や世界中の国にいる日本人のブログやツイッターを通じて直接現地の情報を得ることが誰にでもできる。

また国内の報道においても「記者クラブ」という組織に属していれば、情報を右から左に流すだけで金が儲けられたが、今や首相自身が「ニコニコ動画」などのインターネットメディアに登場する時代となった。記者クラブに張りついていた記者も、実はただの情報のトレーダーにすぎなかったわけである。もちろん、その情報に付加価値をつけるメディアないしジャーナリストは生き残るだろう。しかし、分析も事前調査もなく「今のお気持ち」を尋ねるだけの記者のニーズは大幅に減るだろう。

ツイッターやユーストリームをはじめとする「リアルタイムウェブ」がますます発展していけば、メディアが現地に人を派遣する意味はさらになくなっていくだろう。メディア関係者こそ、第1章の最後で述べた「スペシャリティ」になること、つまり「ほかの人には得られない唯一の情報を提供できる人材」になることが必要となっているのである。

ここまでに手に入れた「武器」

★資本主義の世界で、稼ぐことができるのは6タイプ。

★しかしそのうちの「トレーダー」と「エキスパート」は価値を失いつつある。

第5章

企業の浮沈のカギを握る「マーケター」という働き方

マーケターとは「顧客の需要を満たす人」

前章では、これから生き残れるビジネスパーソンのタイプは「マーケター」「イノベーター」「リーダー」「投資家」の4種類の人間だと述べた。本章からは、それぞれのタイプについてさらに詳しく説明していきたい。

ただし、ひとつ注意していただきたいことがある。便宜上、人間のタイプを4種類に分類しているが、ここでどれかひとつのタイプを目指せ、という話をしたいわけではない。望ましいのは、一人のビジネスパーソンが状況に応じて、この4つの顔を使い分けることだ。仕事に応じて、時にはマーケターとして振る舞い、ある機会には投資家として活動していく。そのような働き方が、これからのビジネスパーソンには求められることを、念頭に置いて読み進めていただきたい。それではまず最初のタイプ、「マーケター」から説明していこう。

マーケターとは、端的に定義すると、「顧客の需要を満たすことができる人」のことだ。

大切なのは、「顧客自体を新たに再定義する」ということである。つまり、人々の新しいライフスタイルや、新たに生まれてきた文化的な潮流を見つけられる人のことを指す。自分自身で何か画期的なアイディアを持っている必要はない。

重要なのは、世の中で新たに始まりつつある、かすかな動きを感じ取る感度の良さと、なぜそういう動きが生じてきたのかを正確に推理できる、分析力である。さらに売るモノは同じでも、「ストーリー」や「ブランド」といった一見捉《とら》えどころのない、ふわふわした付加価値や違いを作れることだ。

そもそも資本主義社会では、仕組みとしてあらゆる商品がコモディティ化していくことが宿命づけられている。ある企業が何か革新的な商品を開発しても、すぐに別の会社がより安いコストで同じような商品を作り出し、市場に投入してくる。

資本主義社会の中では、常に市場の中で競争が行われ続け、コモディティ化した商品はどんどん価格が下がっていき、やがて市場から淘汰されていく。陳腐化した商品しか作れない会社もまた勢いが衰え、市場からの退場を余儀なくされる。その繰り返しで、アメリカもヨーロッパも、戦後の日本も発展してきたのである。

ということはつまり、企業が衰退を避けるには、イノベーションを繰り返して、商品の差異を作り続けなければいけない、ということだ。あらゆる業種、業態の企業が、その前向きな努力をすることで、全体としての社会が進歩していくのが、資本主義社会の基本的なメカニズムなのである。

しかしインターネットが登場して以降の現代では、情報の流通コストがほぼゼロとなった。そのため「差異」は生まれた瞬間から、世界中に拡散し、模倣《もほう》され、同質化していくこととなった。この十数年、企業の栄枯盛衰のサイクルが、かつてないほど速まっているのは、それが大きな理由である。この流れに巻き込まれているのは、大企業といえども例外ではない。

猛烈なコモディティ化に対抗する唯一の手段

たとえばノートパソコンがその代表例だ。ほんの数年前まで、日本の電機メーカー各社が発売する新型ノートパソコンの価格は、20万円前後するのが相場だった。しかし台湾のＡＳＵＳやＡｃｅｒなどの新興メーカーが、「ネットブック」と呼ばれる低価格の小型ノートパソコンを発売すると、状況は一変し、あっという間に市場の価格は暴落した。

それまでモバイルノートパソコンの生産には、さまざまな部品を小型化する必要があるなど、技術的に高い障壁が存在した。そのため簡単には参入できず、日本メーカーも市場の価格を高いままで維持することができていた。しかし２０００年代に入り、新興国のメーカーの技術力が急激に高まったことで、その障壁はあっという間に崩れ去ってしまった。

これと同じような事態が過去にも起きている。1970年代、かつて「電卓」が高級品だった時代には、シャープなどをはじめとする日本メーカーが作る電卓は、信頼のおけるブランド品として認識されており、技術的な障壁から、ほかのアジア圏では生産することがかなわなかった。しかしそれが1980年代になると、電卓程度の電子機器であれば韓国や台湾でも生産可能となる。電卓の市場価格も一気に値崩れが起きて、かつて安くても数千円した電卓は、瞬《また》く間に数百円で叩き売られるようになってしまったのだ。それとまったく同じ事態が、今度はノートパソコンの分野で起きたのである。

資本主義の発展段階として「略奪」「交易」「生産性革命」という時代を経てきたことを第2章で述べた。しかしもはや時代は次の段階に入っている。

全産業の「コモディティ化」が進む世の中で、唯一の富を生み出す時代のキーワードは、「差異」である。「差異」とは、デザインやブランドや会社や商品が持つ「ストーリー」と言いかえてもいい。わずかな「差異」がとてつもない違いを生む時代となったのだ。マーケターとは、「差異」＝「ストーリー」を生み出し、あるいは発見して、もっとも適切な市場を選んで商品を売る戦略を考えられる人間だといえる。

成功するビジネスには「ストーリー」がある

最近、盛んにマスコミなどで「ものづくりニッポンよ、蘇《よみがえ》れ」といった情緒的な言葉を聞くが、こうした言葉がなぜ大きく取り上げられるのかも、マーケティング的な視点で考えると理解できる。

日本を代表する自動車メーカーのひとつで、年間売上高3兆円超を誇るスズキ自動車。その社長兼会長の鈴木修《すずきおさむ》氏は、自分自身を「中小企業の社長である」と自称し、そのものズバリ、『俺は、中小企業のおやじ』（日本経済新聞出版社）というタイトルの本まで出している。

同書の中で鈴木氏は、東京の下町の町工場に流れる職人気質や労働美学を礼賛し、徹底して中小企業精神を守ることこそが、日本のこれからを支える、と主張する。

その主張には傾聴すべきところも多々ある。だが、かといって「よし、自分たちも中小企業的な経営、働き方を目指そう」と鵜呑《うの》みにするのでは、問題の一面しか捉えていない。

考えるべきは、なぜそのような話が「美談」として受け入れられるのか、ということだ。答えを言えば、それはテレビや新聞などのマスメディアがそのような「ストーリー」を好むからだ（実際、鈴木氏はテレビ東京の人気ビジネス番組『カンブリア宮殿』にも出演している）。

マスメディアは人口の多い層をターゲットにする。労働人口で見ると、日本はいまだに製造業従事者がいちばん人口の多いマーケットになる。だから、その市場にとって耳に心地よいストーリーをメディアは流したい。そうすることで視聴率が稼げると考えるからだ。

スズキ自動車と同じように、町工場をメディアが持ち上げた事例はほかにもある。

そのひとつが、「東大阪宇宙開発協同組合」という民間の宇宙開発組織だ。東大阪市は、工場集積率全国ナンバーワンの、中小企業が集まる「ものづくりのまち」として知られている。製造業として、各分野のトップシェアを誇る企業やユニークな製品を開発する会社もたくさん集まっている。しかし、高い技術力はあってもこの長引く不況の中、技術者の高齢化や後継者不足で活力をなくしつつある。

そこで、経済振興策のひとつとして、「中小企業の技術力を結集して人工衛星を打ち上げよう」と2002年に設立されたのが、東大阪宇宙開発協同組合（Astro Technology SOHLA）だ。いろんな分野の町工場が、持てる力を結集して、人工衛星「まいど1号」を製作。2009年1月に、「まいど1号」は種子島宇宙センターから打ち上げられ、大きく報道された。

彼らがスローガンとした「夢を打ち上げるんやない。夢で打ち上げるんや」という合い言葉も、メディア的に非常にウケがよく、当時大きな話題となった。

ここで大切なポイントは、この東大阪宇宙開発協同組合の話を聞いて、「自分たちもものづくりをがんばろう」と思うことではないのだ。ここでは、彼らが考えてメディアが流した、エモーショナルなストーリーが実は大事なのである。「人工衛星を作ることができるほど技術力が高い会社が結集している」「しかもみな、町工場のおっちゃんで人情に厚い人たちだ」というイメージをメディアの力によって日本中に知らしめることができたことが、非常に優れたマーケティングだったのである。

商品にストーリーを乗せて売る

これからの企業活動では、マーケターが作り出す「ストーリー」がいかに重要になるか、具体的な商品の事例を見ていきたいと思う。

パナソニックが販売する個人向けノートパソコンのヒット商品に、「Let'snote（レッツノート）」というシリーズがある。この商品はかつて、「プロフェッショナルの喜びをあなたに」という広告のキャッチコピーを使っていた。20代のＯＬがレッツノートを片手に持って、颯爽《さっそう》と歩く広告を見かけたことがある人もいるだろう。この広告を見ると、レッツノートのブランディング戦略が分かる。

レッツノートには、小型・軽い・高性能といったセールスポイントがあるが、広告ではそうしたスペックを打ち出すことはしていない。パナソニックは、ただ単に製品としてのノートパソコンを売るのではなく「できるビジネスパーソン」というイメージを、レッツノートに乗せて売っているのである。このイメージ戦略が功を奏して、台湾メーカーを中心に低価格のモバイルノートが数多く発売されるようになっても、レッツノートは高価格帯のノートパソコンとして根強い人気を誇り、各種調査でも最上位の満足度を得ている。

ファミリーコンピュータを皮切りに、ニンテンドーDSやWiiを生み出し、ゲーム業界を30年近く牽引する任天堂も、ストーリーを作るのがうまいイノベーティブな企業だ。日本経済新聞出版社から発行の『任天堂〝驚き〟を生む方程式』(井上理著)に詳しく述べられているが、「失敗してもいいから、たくさんトライすること」「枯れた技術の水平展開」を社の方針として決めている。

任天堂といえばファミコン、DS、Wiiなど、大ヒットした商品の印象が強いが、まったく売れなかった3Dゲームの「バーチャルボーイ」や、20年以上前に小売店でゲームを書き換えられる仕組みを構築しつつも、結局うまくいかなかった「ディスクシステム」事業など、実は大失敗しているゲームや事業が数多くある。その失敗に投下したお金は、大きな成功で取り戻すという考え方なのだ（2011年現在は、オンラインゲームの潮流に乗り遅れたとして、その凋落ぶりが指摘されている。だが、任天堂は再チャレンジしてくるだろう）。

任天堂が開発・販売し、近年もっとも大ヒットしたゲーム機Ｗｉｉも、技術的にすごいわけではまったくない。同機に搭載された無線リモコンも、体感センサーも、すでに2006年当時にはコモディティ技術であり、Ｗｉｉ自体はそれら「枯れた」技術を組み合わせただけの商品である。それなのになぜ世界累計で5000万台以上も売れる大ヒットとなったのか。

それは、Ｗｉｉというゲーム機の開発コンセプトであった「体感で操作が理解できる」「多人数で同時に遊べる」という発想に魅力があったからだ。Ｗｉｉ発売前のゲーム業界は、大容量・高度化が進みすぎており、ライトユーザーの「ゲーム離れ」が進んでいた。そのためゲーム業界全体の売り上げが落ち込んでいたのだが、そこにＷｉｉの開発チームは新たな可能性を見出したのである。

基本的に一人で遊ぶのが常識だった家庭用ゲームを、大人も含めた家族全員で楽しめるものに変えることにしたのだ。そのコンセプトに基づき作られた、茶の間で家族同士がスポーツゲームを楽しめる「Ｗｉｉ Ｓｐｏｒｔｓ」や、家庭でフィットネスができる「Ｗｉｉ Ｆｉｔ」などのソフトは大ヒットし、これまでゲームとは無縁だった主婦層や高齢層を新たな顧客に取り込んだ。まさにマーケティング的なコンセプトの秀逸さが生み出したヒット商品だといえるだろう。

「欲しかった商品だ」「売れなかったら会社を畳む」ストーリー

同様にコンセプトが優れていたことから近年ヒットした商品が、文具メーカーの「キングジム」が開発した「ポメラ」という電子メモ帳だ。

ポメラは折りたたみ式のキーボードにモノクロの液晶画面がついただけの商品で、通信機能もなければ、インターネットに接続することもできない。できるのはテキストの入力のみ。「ポケット・メモ・ライター」の頭文字をとって「ポメラ」と名付けられたが、その名前のとおりテキストの入力に特化した製品である。そのほかの機能をすべてばっさり削った代わりに、単4電池2本で動き、2秒で起動して20時間以上の連続使用に耐えうる。

この商品の企画を発表した会議では、「こんな商品、誰が買うんだ？」と15人の役員中14人が反対したそうだが、ある役員一人だけが「待ちに待っていた製品だ」と絶賛したことから、発売が決まった。しかし実際にポメラが発売されると、すぐにライターやブロガーなど、テキスト入力を毎日の仕事とする人々の間で大きな話題となる。結果的に、年間で10万台以上が売れる異例のヒット商品となった。

多くの人が欲しがる製品ではなく、ごく一部の人にしか必要とされないが、熱烈に欲しがってもらえる商品を作り出したことがポメラのヒットの要因であるといえるだろう。一部の人の「まさに欲しかった商品だ」という思いをすくい上げ、それを商品という形に結実させたマーケターの感性が光る仕事だ。

開発者の思いが込められた商品は、市場に出された後で独自の存在感を放ち、時に大きな結果を残すことが少なくない。

スクウェア（現・スクウェア・エニックス）が1987年に発売したファミリーコンピュータのRPG（ロールプレイングゲーム）ソフト、『ファイナルファンタジー』はまさに開発者の思いが世の中を動かした典型的商品である。当時のスクウェアは、パソコン用のアドベンチャーゲームを開発するソフトメーカーのひとつで、ファミコンにもソフトを提供し始めていたが、なかなかヒット作に恵まれず、市場からの撤退を真剣に検討し始めていた。

そんなときに同社のゲーム開発者の一人であった坂口博信《さかぐちひろのぶ》氏が、学生時代から好きだった海外の大ヒットRPGである『ウィザードリィ』や『ウルティマ』のようなゲームを「これが売れなかったら会社を畳む」という決意で、ファミコンで開発することを決める。

映画のようなキャラクター設定と練りこんだストーリー、斬新なゲームシステムや芸術性の高い音楽など、自分たちの思い描いていた「理想のゲーム」の要素を思い切り盛り込んだ同作品は、坂口氏たちの「最後の夢」を託すという意味を込めて『ファイナルファンタジー』と名付けられた。坂口氏たちの思いが通じたこともあったのだろう。同作品は52万本のヒットとなり、すぐにシリーズ化が決まる。そして同シリーズは、現在までに関連作品を合わせると30作以上が世界中で発売され、作品ごとに数百億円の売り上げを計上する「怪物ソフト」となった。関連の映画やキャラクターグッズなども数々生まれるなど、20年以上にわたって同社を支えるコンテンツとなっている。

ブランドにイメージを乗せる

別の業界を見てみよう。現代のビジネスではあらゆる業態で、いかにコモディティ化しないストーリーを商品で作り出すことができるかが死命を分ける。ファッション業界でいえば、ユニクロという企業もストーリーを作り出したことで成功したことが見えてくる。

ユニクロの先代社長が営んでいたのは、小郡《おごおり》商事という紳士服の店だった。しかし同社を引き継いだ2代目社長の柳井正《やないただし》氏は、先行していた紳士服チェーンとの差別化を考え、カジュアルかつユニセックスの店としてユニクロを設立した。設立初期は、イトーヨーカドーなどのスーパーやしまむらなどと同じように、主婦層を主な顧客として、安くて着やすいがファッション的にはダサい、カジュアルウェア専門のチェーンを展開しており、中年女性、いわゆる「おばちゃん」を主要な顧客としていた。

しかし柳井正氏は、ファッションビジネスでは何よりもブランディングが大切だ、ということに早くから気づき、商品のデザイン性の向上に力を入れる。そして、グローバルに活躍するクリエイティブに強い広告代理店を活用したり、佐藤可士和氏という第一線で活躍するアートディレクターにロゴデザインおよびＣＩを一任することで、一挙に都会的でグローバルなイメージを作り上げることに成功した。

実際には、ユニクロの商品は、中国の工場で大量生産された「超コモディティ」商品だ。実際、初期には、大手小売チェーンやアパレルメーカーのバイヤーがいっせいに舌を巻く品質と価格を提供したが、日本の優秀なライバル企業たちは短期間でその差を縮めていった。そもそも、本来的にファッションとは、とんがっていること、稀少性《きしよう》があることがオシャレであるとされる。そのため大量生産、コモディティとは根本的に相容《あいい》れない。だが柳井氏は、イメージ戦略によって自社の大量生産品そのものをブランド化することによって、既存のファッションとは違う文脈で売ることに成功した。そのマーケティング戦略がユニクロの躍進の本質的理由といえる。

ユニクロの最大の発見は、ファッションのマーケティングを変えたところにある。それまでのファッションビジネスでは、基本的な顧客の分類として、「男性と女性」「ハイエンド（オシャレ層に向けた高額商品）とローエンド（ダサいが安い商品）」の4分類を基本としていたが、ハイエンドとローエンドの間には「ストリート系」「モード系」「ゴシック系」「カジュアル系」「フォーマル系」……などなど、無数のセグメントが存在し、そのそれぞれにメーカーがひしめき合っていた。

しかしユニクロは、ファッションを「マス向けと、それ以外」の2種類しかないと考え、自らはあくまで「マス向け」に商品を作ることを徹底したのである。

マス、つまり世の中の普通の人が洋服を購買するときにもっとも重視するのは、「着ていても恥ずかしくないことと、値段が安いこと」の2つであることをユニクロは発見したのである。ほかのアパレルメーカーや販売店は、洋服を売るビジネスをあまりに複雑にしすぎてしまっていたのだ。

ユニクロは戦略的に自社のブランドを、「効率的で、合理的で、洗練されている」とイメージづけた。そのためユニクロで売っている洋服を着る行為も、「合理的で効率的なライフスタイル上の選択」と見られるようになり、安くてダサい洋服を着ている人、とは見られることがない。そのため人は、ユニクロを着ていても恥ずかしくならないのである。

またユニクロの柳井氏はよくメディアに登場し、その経営システムの先進性、合理性を訴える。そのことで一般大衆は、「ユニクロが会社として先進的である」というイメージを繰り返し、繰り返し受け取ることになる。ひいては、ユニクロを着ることの合理性、効率性を実感するのだ。

コストダウンと差異の両立

実はそうした大衆向けのイメージ戦略をとって成功したファッションブランドは、ユニクロが初めてではない。1980年代末にオリビエロ・トスカーニが手がけた一連の企業広告で大成功した企業に、イタリアのベネトンがある。

ベネトンはファッションにおいて何より重要なのは「色」であると考えた。彼らの広告も「多様な色彩の存在を我々は重視する」というメッセージだった。ユーゴスラビア紛争で亡くなった兵士が着ていた血まみれの服や、生まれたばかりの新生児の写真をポスターとして使うなどセンセーショナルな広告を次々に打ち出したベネトンは、非常に巧みに、ある意味狡猾《こうかつ》にイメージ戦略によってブランドを作り上げた企業であるといえるだろう。

ベネトンの洋服にさまざまな色が用意されてるのは、本当は「服の型紙の種類を極力少なくしてコストダウンをはかり、流行の色に合わせてあとから染色する」という会社側の都合によるものだ。だがそれを、「世界の多様性を受け入れる、すなわちダイバーシティを重視する企業」というメッセージとつなげることで、大衆には違和感なく受け入れられたのである。

1990年代の低迷からみごとに復活したアップル。その創業者であり一時はアップルから放逐《ほうちく》されながら、復活して次々に革命的な商品を送り出し続けた、スティーブ・ジョブズもまた「イメージとストーリー作り」に長《た》けた経営者である。

それまで経営危機がささやかれていたアップルに戻ってきたジョブズが最初に手がけたのが、1998年に発売されてパソコンにデザインの革命をもたらしたといわれるiMacシリーズである。それまでの白か黒の四角い無骨な箱というイメージだったパソコンとはまったく違う、色鮮やかで半透明の丸みを帯びたデザイン。何色もの中から選ぶことができインテリアとしても優れたこの新しいコンピュータは世界中で大ヒットし、みごとにアップルの復活を強く印象づけた。アップルの苦境を救ったのもスペックや機能ではなく、「色」や「デザイン」だったのである。

ジョブズはアップルのあらゆる製品のデザインに強いこだわりを持つ。それは彼が大学を中退しながらも、授業にモグって、「カリグラフィー」という、いかに文字を美しくデザインするかを研究する学問を学んだことが大きい。有名なスタンフォード大学でのスピーチで、ジョブズ自身も自分がデザインを学んだことが、いかにコンピュータの歴史にとって重要だったかを述べている。

「ビジョン不要」から生まれたビジョン

一見アップルとは正反対の企業に見えるＩＢＭも、生き残っている理由はうまくブランドをイメージによって作り上げているから、ということに尽きる。ＩＢＭのメインの事業内容は、企業に対してコンピュータ関連のサービスや製品を提供することで、その商品のスペックや内容は同業他社と大きく変わるものではない。

それなのに同社が依然、コンピュータ業界のガリバー企業として存続しているのは、「ＩＢＭは安心だ」というブランドイメージが定着しているからだ。つまり商品やサービスではなく、「ＩＢＭ」というブランドイメージを売ることに成功しているのである。

１９９０年代、企業が使うコンピュータのメインフレーム（大型機）を主力商品としていたＩＢＭは、技術進歩に伴うダウンサイジングの潮流に乗り遅れ、「時代遅れ、過去の遺物（レガシー）、滅びゆく恐竜」と呼ばれるようになり、業績が悪化していた。１９９２年度の決算では、単年度、単一企業による損失額としてはアメリカ史上最悪の50億ドルの赤字を記録するほどだった（もっとも、この記録は後にタイムワーナーによって更新される）。

そこで、企業の立て直しのために、ＩＢＭの経営陣はナビスコ社からルイス・ガースナーを引き抜いた。ガースナーは就任後すぐに、不採算部門の売却と世界規模の事業統合を行った。彼は就任の挨拶で「今のＩＢＭにビジョンはいらない。必要なのは立て直しだ」と宣言し、ビジョンの代わりに徹底して現実的な戦略を次々と打ち出していった。

また自ら何百人もの顧客と会うことで、徹底的にニーズを探り出していった。そして自社が持つ半導体からスーパーコンピュータまでのさまざまな商品群を、顧客ごとにカスタマイズして販売し、その先のＩＴサービスまでをも提供する「e-ビジネス企業」へと大きく舵《かじ》を切ったのである。

ガースナーは「e」を丸で囲んだ新しいロゴを作り、サーバーのブランド名も「ⓔ server」に統一、テレビコマーシャルなどでも「e-ビジネス」を大々的にアピールしていった。ガースナーが行ったＩＢＭのグローバルブランディングは大成功を収め、２０００年には売上高８８４億ドル、利益81億ドルを生み出す超優良企業へと蘇《よみがえ》ったのである。

ガースナーは「ビジョンはいらない」と宣言したが、その言葉とは裏腹に、彼が打ち出した「e-ビジネス」というビジョンがＩＢＭを蘇らせたのだ。ガースナーは２００２年にＩＢＭを去るが、その後ＩＢＭは世界的なノートパソコンのブランドだった「Think Pad」を、中国企業の「Lenovo」に２００４年に売却する。また、磁気ディスクの実用化などＩＢＭを代表する技術だったハードディスク部門を日立に売却してしまう。これも、ノートパソコンやハードディスクという商品自体がコモディティ化しつつあり、高収益を上げていくことが難しいと判断した結果であると考えられる。

ここまでに手に入れた「武器」

★マーケターとは新しくない要素の組み合わせで「差異」を作り出せる人のこと。これからのビジネスは「差異」が左右する。

★企業や商品で差をつけることは難しい。差をつけるには、ターゲットとなった顧客が共感できるストーリーを作ること。

新市場で再起を図るコモディティ企業

コモディティ化によって、価格競争を余儀なくされてしまった企業でも、マーケティングに成功することで復活することができる。

マーケティングによって新市場を開拓した会社に、自動車部品の製造業を営む、ＮＯＫという会社がある。「オイルシール」と呼ばれる、エンジンからのオイル漏れを防ぐゴム部品を作っている会社だ。同社の技術はたいへん優秀で、ゴム製品に関しては、世界有数の品質を誇る会社である。

しかし前述のように、自動車部品の市場ではコモディティ化が進んだことから、同社の製品も買い叩かれるようになった。主力製品のオイルシールでは、ほとんど利益を得られなくなってしまった。

そこで同社は、自動車部品の業界以外の分野で、自分たちのスキルが市場価値を持つ新しい市場に打って出ようと考えた。彼らの売りである、熱にすごく強くて、何度折り曲げても耐久性を失わないゴム製品を必要とする企業がほかにもあるはずだ、と予想したのである。

その結果、同社が探し当てたのが、携帯電話の可動部分に使われるゴムの市場だった。耐久性や耐熱性など、すべての条件を満たしていたことからNOKのゴム製品は多くの携帯電話メーカーに採用されることになり、現在では同社の売り上げの中でも非常に大きなシェアを占めるようになった。

同じような事例は、ガラスメーカーにも見ることができる。長年、ガラスメーカーにとっても最大の顧客は、自動車メーカーであった。同様にコモディティ化が進んだガラス業界も、価格競争が激化し、世界レベルで同業他社を買収して巨大化し、スケールメリットで利益を出すことで生き残りを図ろうとしていた。

しかし、それでもコモディティ化による買い叩きの構造を逃れることができなかった。そこでガラスメーカーが新たに活路を見出したのが、ハイテク部品の材料としてガラスを使ってもらうことだった。自分たちの高度な技術を武器に、IT関連の企業に「どんなスペックの、どんな品質の材料でもすぐに作れていくらでも供給できます」と売り込んでいき、携帯電話の液晶ディスプレイやハードディスクの基板などの用途を開拓していったのだ。その結果、同じガラス製品にもかかわらず、自動車メーカーに売っていたときの何倍もの利益を上げることが可能となったのである。

このNOKとガラスメーカーの2社から学べる教訓は、「ある分野ではコモディティ化して価値を失ってしまった技術でも、まったく別の分野に応用することで新しい価値を生み出す可能性がある」ということだ。

個人の働き方にも重要なマーケティング的発想

ここまで企業活動においていかにマーケター的な発想が重要かを述べてきたが、同じように個人の働き方においても、マーケティング的視点で工夫をすることが「稼げる人」と「稼げない人」を分けるポイントとなる。

資格を持っていることやTOEICの点数が高いといった、「高品質で高性能」といったものを売りにする人は、もはや、通用しない。自動車部品と同じように、いまやコモディティ化していると述べた。しかしマーケティング的な発想をすることで、自分の「適切な売り方」を変えることができるのである。

私の知人に、上智大学を出て、高校の英語教師になった人物がいる。彼は非常に高いレベルの英語力を持ち、しかも本格的に英文学を学び、もちろん英会話もネイティブ並み。しかし最初に赴任した高校は非常に偏差値の低い学校で、生徒にはＡＢＣの書き取りから教えなければならなかった。

マジメに勉強する学生が一人もいないダメ高校の中で、もがきながら何年も英語教師を続けていたが、「このままで自分の人生は良いのだろうか」と一念発起。彼は学校を辞めて英会話学校を開き、日本人を相手に英語を教えようともくろんだのだ。

しかし、残念ながら彼には実社会でのビジネスの経験がないため、英語に堪能《たんのう》でもビジネスパーソンが必要とするビジネス英会話を教えることができないことに気づく。まるで笑い話のようだが、ことは深刻である。生徒が集まらずに経営難に苦しむことになった。しかし、あるときまったく別のエグジットを見い出し、活路を切り拓《ひら》く。

なんと彼は、外国人向けの日本語教師になったのである。アメリカやイギリス、インドなどから日本企業にやってくる「エクスパット」と呼ばれる短期駐在員の妻や家族を相手に、英語で日本語を教えるビジネスを始めたところ、これが大当たりしたのだ。

いわゆる底辺高校の英語教師としては、彼の学んだハイレベルの英語は役に立たなかった。ビジネス英語を教えるのも彼の英語では中途半端だった。だが、英語ネイティブの人に日本語を教える教師としては、彼は最適なスキルと知識を身につけていたのである。つまり彼の英語力よりも、日本語力がものをいったわけだ。

同様の事例はほかにもある。

ある成績優秀な女性は家庭の経済的事情で短大に進学した。家族を支えるため少ない時間でバイトをしようとするとやはり家庭教師だろうと考えた。しかし、残念ながら本人の学力や教える能力と関係なく、「短大の女の子」に家庭教師を頼む人を見つけるのは難しかった。しかも、彼女の生活圏にはすでに大手の進学塾や家庭教師センターがしっかりと地盤を築いており、彼女がいくらビラを撒《ま》いたりしても、まったく生徒が集まらなかった。そこで彼女は戦略を変更する。「偏差値40以下の中学生だけを教える家庭教師」を始めたのだ。

彼女が家庭教師を始めた地区は、教育熱心な地域であったため、学習塾も数多くあったが、そのほとんどは勉強のできる子どもを対象とする、有名私学を目指す指導を行っているところばかりであった。彼女はそうした学習塾がまったく相手にしていない、勉強ができないけれど、せめて高校ぐらいは卒業しておきたい、と考える親とその子どもをビジネスの相手としたのである。しかも彼女は「高校に無事に合格できたら特別ボーナスをいただきます」と成功報酬制の契約を結んだことから、初年度から大きく稼ぐことが可能となった。彼女の短大出という弱みは、基礎から親切に教えてくれそう、苦労しているから弱い人の気持ちが分かる、と逆に強みになったわけである。

ここに挙げた二人は、もがいているうちに偶然、自分を生かす道を発見したわけだが、このように自分が得たスキルや知識を、どの市場でどのように売るかによって、得られる報酬はまったく違ってくる。それはすなわち、「個人のビジネスモデル」を変えれば活路は拓ける、ということだ。

「ビジネスモデル」とはふつう、企業が利益を生み出すための商売の仕組みのことをいう。しかし現在では、個人の働き方においても自分の「ビジネスモデル」を環境の変化に合わせて変えていくことが求められるのである。そのときに必要なのが「マーケター」の考え方なのだ。

会計士からのステップアップ

マーケター的視点で個人のビジネスモデルを考えると、これまで「稼げる仕事」として人気だった職業にも別の側面が見えてくる。

たとえば公認会計士という資格を得ることは、企業に就職する上でも、将来独立を考える上でも、有利に働くとして、長年人気だった。しかし現在のビジネス環境の変化を考えると、多くの時間を勉強に費やして会計士の資格を得たからといって、それがそのまま収入の増加につながるとは限らないことに気づく。

大学時代に公認会計士試験に受かり、卒業後、監査法人に就職したとしよう。会計士といえばいわゆる「士」業の中でも高収入とされているが、実はこの監査という仕事は、「コモディティ」の業種に分類される。なぜかといえば、監査を依頼する会社側からみれば、どこの事務所に頼んでも、受けられるサービスが同じだからである。サービスが同じ、ということはダンピング競争になるということだ。

日本では、上場企業が会計監査を行う場合、「新日本」「トーマツ」「あずさ」「あらた」のいずれかの4大監査法人に頼むのが常識である。これら以外の監査法人に頼むと、「この会社の財務状況は大丈夫なのかな？」と見なされ、信頼を失いかねないのだ。

　しかし4大監査法人のサービスは、基本的に同じだ。違っているのは値段だけ。その値段も、ほとんど「会社の立地」で決まっているといって過言ではない。東京駅の駅前にあるトーマツがいちばん高く、飯田橋にあるあずさがいちばん安いという、非常に分かりやすいプライシングなのである。

単純な監査業務というのは、それほど儲かる商売ではない。基本的には労働に対する時間×人数で利益を得る労働集約型のビジネスだから、レバレッジをかけて少ない労力で大きな利益を得ることは難しい。

そのため監査を職務とする人が給料を高めようとするならば、自分自身が監査法人の社長になって、部下の安い会計士補からサヤを抜くしかないのだ。資本主義の参加者である監査法人のパートナー（経営者）は儲かるけれど、そこで働く一人の「会計士A」は儲からない構造になっているわけである。

「信者」を作るのが成功するビジネスのポイント

マーケターにとって非常に重要な能力は、自分の商品やサービスの「信者」を作り出すことだ。「信者」を作ることで成功している会社はいくらでも挙げることができる。

ハーレーダビッドソンというバイクメーカーも世界中の信者に支えられている企業だ。このエコの時代に、あんなに燃費効率の悪いバイクを買う人の心は、興味がない人には理解できない。しかし一部の熱狂的ハーレーファンの人々にとっては、ハーレー以外は乗り物ではないのである。それはもはや、宗教にも近い次元だ。

新製品が発売されるたびに世界中で熱狂的な騒ぎを起こすアップルも、信者に支えられている企業だといえるだろう。このように、信者レベルのファンを作るのが、現代のビジネスでは非常に重要になっているのである。

しかしこの「信者ビジネス」にも問題点がある。それはこのビジネスを続ければ続けるほど、信者のレベルが低下していくことが避けられない、ということだ。ずっと信者で居続ける人は少ない。だから常に新たな信者をリクルーティングする必要があるのだが、ブームを持続させようと新製品を無理して出し続けるうちに、ますます「教祖に依存して、自分の頭では物事を考えない人」を狙わざるを得なくなってくるのである。

その事例として非常に参考になるのが、ライブドア元社長の堀江貴文氏のビジネスだ。彼が行ったのは、どういうビジネスだったか説明しよう。

彼は起業してしばらくはウェブの制作業務を行っていたが、事業の拡大を狙い、さまざまなインターネット関連の事業を始めた。ヤフーのようなポータル事業やライブドアブログ、オークションサイト、オンライン証券、データセンターなどなど、さまざまな事業を立ち上げる。しかしライブドアポータルでいえば利用ユーザー数はヤフーの10分の1以下。オークションサイトはあっという間に失敗（「オン・ザ・エッヂ」時代に、社名がまだ「イー・マーキュリー」だった「ミクシィ」と一緒に立ち上げたオークションサイトの「eHammer」など、誰も覚えていないだろう）。ブログも芸能人を集めたアメーバブログに人気で差をつけられる。

何をやっても今ひとつうまくいかない。結局どの事業も、業界のデファクト・スタンダード（事実上の標準）になれないままで終わってしまった。そこで彼は、ビジネスを変えた。

それは、何となく「インターネットはすごいらしい」というぐらいの知識しか持っておらず、主な情報収集源はテレビ番組で新聞などは読まない、いわゆるマーケティング的にいえば「遅れた層」（ネットスラングでは「DQN《ドキュン》」と呼ばれる人々）をターゲットに、サービスではなく彼の会社自体を売ることにしたのである。

どうやって？　先に述べた大量にコマーシャルを打つ企業のように、彼自身を前面に押し出し、メディアに盛んに露出することで、会社と彼の知名度をひたすら高めていったのである。

六本木ヒルズに住み、そこに本社を構えるライブドアの経営者である堀江氏は、「ヒルズ族」の代表としてさまざまなメディアに取り上げられた。さらにプロ野球球団や大手テレビ局の買収に名乗りを挙げたり、国会議員に立候補するなど、常に刺激的な話題を振りまき続けた。その結果、熱狂的なライブドア信者の数は、全国に広がっていったのだ。そして、そういう情報リテラシーの低い人々＝情報弱者に彼は、ライブドアの株を売ったのである。

だが、彼を教祖と崇《あが》める信者たちは、所得が低い人々が中心となる。もちろん、これまで株取引をやったことがない人がほとんどだ。株価が高いと買ってもらえない。だから、株の単価を安くする必要が出てきたので、「株式の100分割」という当時大きな話題となった手法をとった——彼が展開したビジネスモデルは、要約するとこういったものだったと私は見ている。

彼のビジネスは非常にうまくいきかけたが、より多くの人（テレビしか見ないDQN）の目を常に惹《ひ》きつけるために、より突飛かつ強引な方法をとらざるを得なくなる。それはあたかも芸能人が次々とスキャンダルでメディアの注目を浴びるがごとく、ブームを拡大、持続するためには避けられないことだろう。この結果、行き着くところまで行き、特捜検察の強制捜査を受け、ライブドアの社長を解任され、法廷闘争に敗れ、ついに収監されたのはご存じのとおりである。

しかし今現在も、彼が行っているビジネスは本質的に変わりがない。2011年現在、堀江氏は月の購読料840円で、自分のメルマガを売っている。すでに会員が1万人以上いるそうなので、それだけで年間売り上げ1億円ほどになるわけだ。

「宇宙論」を語りツイッターでつぶやき続ける堀江氏は、今も変わらず、ファンに「夢」を売り続けている。

自分の頭で考えない人々はカモにされる

実はこの「情報弱者の大衆から広くお金を集める」手法を昔から行っているのが、金融業界だ。投資会社は、広く個人を相手に小口の商《あきな》いをする会社と、特定の法人や信頼のおける個人とだけ高額の取り引きをする会社に分かれる。

成功している投資会社は、個人市場からはいっさい資金調達をしない。投資した企業が成長したり、運用で儲けても、もともとの出資者にリターンを支払い、残ったお金は次の投資に回すのである。すごくうまくいっている投資会社は、市場から資金調達をする必要がないのだ。

つまり、一般の個人投資家向けに売られている金融商品は、「プロが買わないような商品だからこそ、一般個人に売られている」ということである。

つまり、一般個人投資家は、本当に儲かる投資先には、アクセスすることすらできない仕組みになっているのである。

お金の性質というのは、「たくさん持っている人（お金持ち）の1円も、少ししか持っていない人（貧乏人）の1円も、同じ価値を持つ」ということにある。つまり、資金を調達したい側の会社や人にとってみれば、たくさんお金を持っている人に交渉して自社の株を買ってもらったほうが、ずっと効率的に、楽に儲けられるのだ。それなのに、「個人を相手に小口に分割して手間ひまをかけてまで金融商品にして売る」ということは、「金融に詳しい目利《めき》きのお金持ち投資家が、買わないような投資先であり、値づけだから」なのである。

個人を相手に金融商品を売る会社にとって、いちばんありがたい顧客となるのは、「自分の頭で物事を考えない」人々だ。そしていつの時代もそうした人々はたくさんいる。つまり、個人を相手に商売するときは、「人数がたくさんいて、なおかつ情報弱者のターゲット層」のほうが効率が良いのである。だから、ホールセール（機関投資家や企業相手の大口取引）の金融事業で儲けられなくなってきた会社は、みなリテール（個人向けの小口の金融ビジネス）に進出しているのだ。

ＦＸ（為替取引）はまさに、そういう金融ビジネスモデルの筆頭である。一言でいえば「中産階級向けパチスロ」といって良いだろう。

ＦＸが扱う為替相場というのは、平時には一日に1％ぐらいしか値動きがない。しかし、ＦＸ取引の場合は、25倍まで「信用取引」をすることが可能なのである（２０１１年7月末までは50倍だった）。信用取引とは別名「レバレッジ」と呼ばれるが、要するに、見せ金の25倍の金額で賭けができる、ということである。1億円のポジションを持つのに、手持ちの金は４００万円で良い。４００万円で1億円のポジションをとるとすると、為替のレートが1％動くだけで１００万円動くことになる。だからＦＸ取引では、４００万円の資金が一日に３００万円になったり、５００万円になったりする。

しかし、実際には金利が高い国の通貨というのは、インフレリスクが高く、つまり、通貨安になる可能性が高いから金利が高いだけなのである。特殊な状況を除いて高い金利の通貨に投資してたまたま儲かったとしても、いずれは通貨安となるのが為替取引だ。

しかし何万人もやっていれば、たまには成功する人が出てくる。そうしたＦＸ業者は、一人二人の成功者を取り上げ、針小棒大にその成果をアピールし、次の「カモ」の誘い水とするのである。基本的には、ネットの高額な情報商材となっている「パチンコ必勝法」や、「ナンバーズはこうすれば当たる」といった眉唾《まゆつば》の情報と変わらない。実際、ＦＸの業界で有名な人の本のプロフィールをよく見ると、元パチプロだったりするのである。

稼げる弁護士と、稼げない弁護士を分けるもの

マーケターに必要な能力は、時流を見極めて、状況の変化に合わせて新たなビジネスの場を作っていくことだ。

先ほど、会計士という「士《さむらい》」のつく職業がコモディティ化していると述べたが、それでは、会計士という職業は儲けることができない仕事なのかというと、そうではない。マーケティング的に発想することで、新たな商品を作り出している会計士はきちんと儲けているのである。

最近の会計士の業界で、いちばん儲けているのは、企業向けにそれぞれカスタマイズした「節税商品」を作っている人々だ。税金というのは、法規制がコロコロ変わる。そのため、それに合わせて節税のやり方も変わってくる。だから税制と会計に専門知識を持ち、企業に合わせて節税商品を作れる会計士は、コモディティにならないのである。

さらに進んで、節税できた金額のうち何%かを成功報酬としてもらうというビジネスを始めている会計士もいる。その場合、節税のリターンをクライアントとシェアできるので、たくさんの利ザヤを稼ぐことができる。そのため公認会計士の中で、いちばん儲けているのは、節税

商品を専門にしている事務所なのだ。

同様に、弁護士の場合を見てみよう。弁護士業を営む人のうち、日本でいちばん儲けているのは、大手の弁護士事務所を所有している人々である。

日本の4大弁護士事務所といわれる大手の、「パートナー」と呼ばれる経営層に昇格した弁護士は、年収が数千万円を超えるケースも珍しくなく、トップマネジメントの中には数億円稼ぐ人もいる。彼らは企業をクライアントとし、M&Aなどのビジネスに付帯する法律業務を主な仕事とする。弁護士のイメージといえば、刑事訴訟において容疑者を弁護する人というのが一般的だが、彼らの仕事の土俵はまったくそれとは違う。

大手事務所のパートナーの次に儲かっている弁護士は、成功報酬ベースで仕事をしている人々だ。一度の案件で儲かる額でいえば、こちらのほうが高いケースも少なくない。

20代の若さで、1億円の報酬を達成したことで有名になった、荒井裕樹《あらいゆうき》氏という弁護士がいる。なぜ彼はそんなに高い報酬を得られたのか。それは彼が、旺文社事件や武富士事件などの税務訴訟や、青色発光ダイオードの発明訴訟など、裁判の勝敗によって動く金額が莫大になる案件を、成功報酬で担当したからである。

訴訟に勝てば、大きな報酬がもらえ、負ければその分多くの報酬をあきらめることになるという形で、リスクリターンをシェアする形のビジネスを行っているわけである。

アメリカには日本の数十倍も弁護士がいる。そのため弁護士間で仕事の奪い合い、値段の叩き合いが起こっており、「弁護士のコモディティ化」が進んでいる。アメリカでは交通事故に巻き込まれたときに、救急車と同時に（後の訴訟に備えて）弁護士を呼ぶことが珍しくないが、サイレンを鳴らして走る1台の救急車を、複数の弁護士が仕事を求めて追いかけるといった笑い話のような事態になっているのである。

そうした状況の中で儲かっているのは、ニッチなビジネスの市場を見つけて、自分たちでマーケットを作り出した弁護士事務所だ。たとえばアメリカにある「スキャデン」という事務所には、ジョー・フロムという有名な弁護士がいる。彼は「企業の敵対的買収」を専門とするビジネスを作り出すことで、莫大な収益を上げるようになった。マルコム・グラッドウェルが執筆した『天才！ 成功する人々の法則』（講談社）にも名前が出てくる有名な弁護士だ。

「企業の敵対的買収」を専門とする弁護士業務といっても、もともと法曹界にそんな分野があったわけではない。フロムが自分で「これは商売になる」と思いつき、そのマーケットを作ったわけである。企業法務のマーケットの中に、「敵対的買収」という新しいカテゴリーを作り、独占的に成功報酬型で仕事を請ける仕組みを構築したからこそ、とてつもなく儲けることができたのだ。

「訴訟ビジネス」の展開

そのほかにも儲かっている弁護士の仕事に、「クラスアクション」と呼ばれる訴訟分野がある。クラスアクションとは、企業に対する損害賠償訴訟において、同じような被害を受けた人全体を代理して、特定の被害者が企業を訴えることができる、アメリカに特徴的な司法制度を指す。何万人、時には何十万人の被害をまとめて訴えるわけだから、これは高額訴訟になる。

さらには、アメリカの場合には、民事訴訟において、受けた損害を賠償するばかりではなく、悪質なケースについては、実損害の数倍の賠償を認める懲罰的損害賠償制度がある。１９９２年、アメリカのニューメキシコ州で、マクドナルドのコーヒーを購入した女性がそれを膝《ひざ》にこぼしてしまい、第３度の火傷《やけど》をする事件があった。その女性はマクドナルドを相手に「コーヒーが必要以上に熱すぎる温度で提供されたことが原因」と訴訟を起こした。この事件は、被害者の事情に対するマクドナルドの対応の冷淡さが陪審員の怒りを買い、いったんは３００万ドル近くの損害賠償を認める評決が下った。この事件は最終的には遥《はる》かに少ない金額での和解で解決したが、こうした事件は数多く存在する。

この事件に限らず、アメリカでは、一般人が企業を相手に民事訴訟を起こすことは珍しくなく、企業訴訟を専門に引き受ける弁護士事務所が出てきた。クラスアクションを専門とする弁護士事務所は、企業の提供する製品が起こしたトラブルやリコールを「ビジネスチャンス」と捉え、不利益をこうむった消費者を「顧客」として新しい訴訟ニーズを掘り起こしたわけである。クラスアクションの訴訟は成功報酬制をとるのが一般的で、大企業を相手とするために勝訴した場合は莫大な賠償金を得られるというわけだ。

日本の弁護士業界にもそうした「成功報酬型」の訴訟をビジネスチャンスとする案件が増加している。少し前まで弁護士業界で流行していたのは、サラ金の過払い請求市場だった。消費者金融（サラ金）から金を借りて、高利の借金を返済していた人を顧客に、法定利息を超えて払っていた分の金を、訴訟によって取り戻す法廷闘争である。多くの弁護士がその「訴訟ビジネス」に乗り出した。電車の窓上広告などで「払いすぎた借金を取り戻せます」と目にしたことがある人も多いだろう。

そうした過払い回収ビジネスを行っている弁護士事務所の間では、どれだけ顧客＝サラ金の多重債務者を集められるかという、数の勝負となる。つまり「お客」を集めるマーケティング能力が求められるのである。

そのためある弁護士事務所では、弁護士に払う給料よりも、戦略的に広告を出し、債務者を集客する担当者のほうが、給料が高いケースもあったそうだ。そこにおいて弁護士は、プランを作り実行する人たちに使われている立場なわけである。

サラ金各社に対する過払い訴訟もそろそろ商機が去りつつあり、弁護士業界では、「次はサービス残業を従業員に強《し》いていた会社を相手どり、未払いの残業手当を請求するのがあらたなマーケットになるだろう」といわれている。今後もそうした新たな「ビジネスチャンス」をいかに早く発見するかの争いが繰り返されていくに違いない。

「士」になっただけでは稼げない

会計士においても、弁護士においても、その資格を手にすること自体には、ほとんど意味がないことがお分かりいただけただろうか。

資格や専門知識よりも、むしろ自分で仕事を作る、市場を作る、成功報酬ベースの仕事をする、たくさんの部下を自分で管理する、というところにこそ、「付加価値」が生まれるのである。

それに対して単に弁護士資格を持っているだけの人は、まったく価値のない「野良弁」になってしまう。稼げない「野良弁」と、すごく成功している弁護士を分けるのは、弁護士資格ではなく、そうした新しいビジネスを作り出せる能力があるかどうかなのだ。

そこで求められるのは、マーケティング的な能力であり、投資家としてリスクをとれるかどうかであり、下で働く人々をリーダーとしてまとめる力があるかどうかだ。高学歴で難度の高い資格を持っていても、その市場には同じような人がたくさんいる。たくさんいる、ということならば、戦後すぐの、労働者をひと山いくらでトラックでかき集めたころとなんら違いはないのである。

「弁護士いる？　弁護士。日給1万5000円で雇うよ」といった具合に。

★自分自身も「商品」。売る「場所」を変える

ここまでに手に入れた「武器」

ことでまったく結果が違ってくる。

★「自分の頭で物事を考えない人」は、DQNビジネスのカモにされる。

第6章　イノベーター＝起業家を目指せ

松下幸之助モデルはもう通用しない

日本はこれまで人口はどんどん増える一方で、経済自体の規模が膨張していく時代が長く続いていた。成長のベクトルは常に上を向いており、あらゆる業種、業界に目指すべき成功のゴールが存在した。

そこで働く人々も希望に満ち溢《あふ》れ、根性と体力さえあれば、首都圏に自分の家を持てるぐらいの富を蓄えることができた。がむしゃらに、愚直に、ひとつのことだけをやっていれば、幸せになれる時代が確かに続いていた。

その時代を象徴する言葉を、松下電器（現・パナソニック）の創業者である松下幸之助に見ることができる。松下幸之助は、「人はなぜ失敗するのでしょうか」と聞かれたとき、

「それは成功するまで続けないからです」

と答えた。

彼はその言葉どおり、「成功するまで続ければ誰でも成功することができる」という信念で事業に邁進《まいしん》し、一代で「世界の松下」を作り上げた。

松下幸之助の提唱した考え方に、有名な「水道哲学」がある。「産業人の使命は貧乏の克服

である」と考えた松下幸之助は、水道の水のように潤沢《じゅんたく》に物資を次から次へと生産・供給していくことで、物価は安くなっていき、世の中に暮らす人々が等しく幸福になっていくと考えた。実際に松下電器をはじめとする日本企業は、高度経済成長の時代に生産に次ぐ生産を行い、人々の生活は豊かになっていったのである。

そんなことから日本では今でも松下幸之助の経営哲学に心酔する人は少なくない。会社の年配者にも松下幸之助の考え方や経営を美徳とする人がいるかもしれないが、今の時代、自分の会社の社長や上司がそのタイプだったら要注意だ。

状況は、松下幸之助の時代とはまったく変わっている。これまで「後進国」と呼ばれた国々が、次々と「新興国」と名を変えて、現代ではあらゆる国でものづくりが行われているのだ。物価も賃金も高い日本の企業ががむしゃらな努力で生産を続けたところで、それだけでは「死への行進」である可能性が高いだろう。松下幸之助は確かに偉大な人物だった。しかし、今の時代に彼が提唱した「水道哲学」に従って二股電球ソケットを大量生産したところで何の意味もない。もし、「経営の神様」と呼ばれた幸之助が生きていたらまったく別のことを考え、実行しているに違いない。

もしあなたの会社で「成功するまで続けよ」と上司が叱咤《しった》激励していたら、そしてあなたが日々行っている業務が「死の行進」だと感じたならば、とりあえず死の行進を続けるふりをして、自社の弱点を冷静に分析することをオススメしたい。自分が働いている業界について、どんな構造でビジネスが動いており、金とモノの流れがどうなっていて、キーパーソンが誰で、何が効率化を妨げているのか、徹底的に研究するのである。

そうして自分が働く業界について表も裏も知り尽くすことが、自分の唯一性を高め、スペシャリティへの道を開いていく。そして常日ごろから意識して、業界のあらゆる動向に気を配ることで、「イノベーション（物事の革新）」を生み出すきっかけと出会うことができるのである。

ここからは、生き残る人々の2番目、まったく新しい仕組みを創造する「イノベーター」に必要な資質について考えていこう。

現在、凋落している業界にチャンスが眠っている

イノベーターになるにはどうすれば良いのか。最初から一人でイノベーションを生み出すことができる人はいない。

歴史に名を残すイノベーターも、必ず最初はどこかの業界に属して働き、そこで知識と経験、

スキルを蓄えた。だからもしあなたがイノベーターを目指すとしても、必ず最初はどこかの会社に所属する必要がある。

「はじめに」で今の学生たちの就職状況の厳しさについて述べたが、イノベーター的に考えれば、就職に対するスタンスも大幅に変わってくる。

たとえば左にあげた表は、２００９年12月に発表された新卒学生の就職人気企業ランキングだが、文系学生の1位がフジテレビジョンとなっている。社会人の間では、テレビ局は今や、新聞や出版とともに「今までと違い、これからかなりきつくなる」といわれる業種ナンバーワンだ。

ネットの普及によるテレビのメディアとしての地位

就職人気企業総合ランキング2009（週刊東洋経済）

順位	企業名
1	フジテレビジョン
2	三菱東京ＵＦＪ銀行
3	資生堂
4	電通
5	博報堂／博報堂ＤＹメディアパートナーズ
6	全日本空輸（ＡＮＡ）
7	三井住友銀行
8	ＪＴＢグループ
9	集英社
10	バンダイ
11	任天堂
12	テレビ朝日
13	ソニー
14	サントリー
15	みずほファイナンシャルグループ
16	講談社
17	東日本旅客鉄道（ＪＲ東日本）
18	伊藤忠商事
19	日本航空（ＪＡＬ）
20	ＮＴＴドコモ

低下、ＨＤＤレコーダーの普及によるＣＭ飛ばし、番組内容の質低下による広告主のテレビ離れなどなど、テレビの凋落《ちょうらく》にまつわる話を聞かない日はないぐらいである。それでも学生の多くがテレビ局を目指すのが不思議でならないのだが、２０１０年会社更生法が適用されて経営再建中の日本航空が、２００５年の就職人気企業ランキングの1位だったことを考えると、「もうそろそろ潰れそうな会社の指標」として学生の就職人気企業ランキングを見てみるのもおもしろいかもしれない。

しかし投資家的に考えてみると、テレビメディアの凋落が始まっている今こそ「買い」の業界であるともいえる。ネットの登場により、テレビ局が持っていた「電波」という利権の価値は一気に下落したが、人々が日々の情報を映像と音声で得たいというニーズは変わることなく存在するからだ。

だとすればネットを使って放送局をベンチャーで立ち上げ、制作会社の力のある人々を集めて魅力的なコンテンツを放映すれば、視聴率も広告も既存のテレビ局から奪える可能性が大いにある。実際に日本でも、ネット層にターゲットを特化した「ニコニコ動画」などは、既存のテレビ番組に比べて大幅に安いコストで番組を制作できるため、すでに黒字となっている。

ここ数年、業界全体が激しく落ち込んでいるのはテレビ局に限ったことではない。同じくネットにより消費者離れが深刻化する新聞・出版業界や、リーマンショック以降倒産が相次いでいる不動産業界なども、構造的な苦境が続いている。

しかしイノベーター的な観点からすれば「落ち込んでいる業界にこそ、イノベーションのチャンスが眠っている」と考えられる。

なぜなら、それらの事業の根本が、人間の知的欲求を満たしたいという思いや、より快適な場所に住みたいという根源的な欲求に基づいているからである。問題はその欲求に、既存の業界大手企業が提供する商品やサービスが応えられなくなっていることであって、ニーズ自体が消滅しているわけではまったくないからだ。

「仮想敵」のいる市場を狙え

起業家が新しいビジネスを見つけるときの視点として、「しょぼい競合がいるマーケットを狙え」という鉄則がある。

新興企業に投資するベンチャーキャピタリストは投資先の会社の社長に、必ず「おたくの会社の競合はどこだ?」と質問する。そう聞かれたときに「うちの会社には競合はいません」という経営者は、間違いなくアウトだ。なぜかといえば、競合がいないということは、そこにマーケットがないと見なされるからだ。

質問の模範解答は、「うちの会社とまったく同じことをしている競合はいませんが、我々が今狙っているマーケットには、これこれのようなプレイヤーがいて、みなしょぼい事業を行っているので、十分勝機があります」となる。

このように、起業するときは「仮想敵」ともいえる存在がそのマーケットにいることが重要だ。

あのアップルという会社の場合、その「仮想敵」はＩＢＭだった。アップルは、もともとはＩＢＭを倒すことを目標に作られたのだ。ジョブズとウォズニアックという二人の天才エンジニアがアップルをガレージで立ち上げた当時、ＩＢＭは大型のコンピュータを法人向けに売る、巨大で堅苦しい会社だった。

１９８４年にアップルが市場に投入した革新的なパソコン、「マッキントッシュ」の当時のテレビコマーシャルに、彼らがＩＢＭを敵視していたことをはっきりと見ることができる。

そのコマーシャルでは、暗い通路を無表情の男たちが行進し、独裁者の映像を座って見ることを強制されている姿が描かれる。そこにハンマーを持った美しい女性が現れる。彼女が追手を振り切り、ハンマーを独裁者の映る画面へと投げつけると、スクリーンは爆発し、男たちは驚愕の表情を浮かべる。そして次のコピーが流れる。

「1月24日にアップルコンピュータがマッキントッシュを市場に投入します。あなたは1984年が、あの『1984年』のようにはならない理由が分かるでしょう」

ジョージ・オーウェルが未来の情報統制された独裁国家を描いた小説『1984』の世界を巨大企業・IBMの姿になぞらえ、「自分たちが作り出したマッキントッシュは、その世界を打ち壊す自由の象徴である」とアピールしたのだ。

ジョブズとウォズニアックは、「今はコンピュータを個人が所有することなど考えられない時代だが、将来は必ず一人ひとりが自分専用のコンピュータを持つようになる」と考えて、アップルという会社を作った。その理想は30年が経ってみごとに現実のものとなり、世界を変えたが、彼らさえもIBMという先行する巨人が必要だったのである。

今現在、凋落しつつある大手企業の周辺には、たくさんのビジネスチャンスが眠っている。イノベーター的な視点から学生に就職先をアドバイスするならば、「今落ち込んでいる業界の周辺企業で、将来的にナンバーワンのポジションをとれそうな会社を狙え」ということになるだろう。

将来その会社を叩き潰すために就職する

そのようにイノベーター的な考え方をすると、潰れそうな会社に入ることにも大きな意味がある。たとえば、今はなんとかもっていても、将来の先行きはないだろうと思われる会社に入り、その会社を徹底的に研究する。そして、その会社が潰れる前に退職し、その会社を叩き潰す会社を作るのである。

「世話になった会社を叩き潰すなんて……」と、心が優しい人には極悪非道な道のように聞こえるかもしれないが、起業を成功させるためには非常に有効な手法である。

このようなケースはシリコンバレーではきわめてよくあることだし、日本でも珍しくはない。たとえば牛丼チェーンの松屋は、もともと牛丼といえば誰もが第一に思い出すであろう会社、吉野家がもとになって生まれた会社だった。

1966年、松屋の創業者、瓦葺利夫《かわらぶきとしお》氏は中華料理店を開業していたが、商売がうまくいかず、新たな飲食事業を展開しようかどうか悩んでいた。そのときに吉野家の牛丼の味に感銘を受ける。彼は吉野家に通いつめ、味や調理方法について研究するうちに社員とも知り合いとなり、いっときは自分の店と仕入れを共同で行うまでの関係を築いた。そして新しく出店する店の店長に来ないかと誘われるまでになったが、彼はていねいにその誘いを断り、こう考える。

「吉野家は確かにうまいが、味が濃すぎる。またメニューが単品だから、いくら牛丼好きな人でも毎日来ることはない。それならば吉野家の業態をそのまま真似して、メニューが複数あって毎日来られる店を作れば、必ず吉野家に勝てる」

メニューを複数持つことで仕入れや調理の手間が複雑になり、店員のオペレーションにも負担をかけるというリスクは伴うが、吉野家の「弱み」をつくことができる。彼は、吉野家と関係を築いていたことで、どうすれば吉野家と同じ客層を対象とした外食チェーンで成功できるか、分かったわけである。結果、松屋は大成功する。今では全国に800店以上の店舗を構え、吉野家に次ぐ牛丼チェーンとなっている。

働く業界でビジネスチャンスを発見

松屋のように、自分の関わった会社を「叩き潰す」ために起業し、成功を収めた人々は海外にもたくさんいる。

ＥＤＳ（Electronic Data Systems）というアメリカの企業はご存じだろうか？　アメリカの大統領選挙にも立候補した、実業家のロス・ペローという人物が興したＩＴ会社だ。

ペローはもともと、ＩＢＭのセールスマンだった。彼はコンピュータを売るために、毎日顧客を回る中で、「ＩＢＭのコンピュータを買っても、自分には使いこなせない。しかし売り上げを計算して帳簿を作成してくれるのは助かるから、お宅の会社でコンピュータを使って、経理業務のアウトソーシングをしてくれないか？」というリクエストを複数受けるようになった（もっともこのときには、アウトソーシングという用語はない）。

ペローはこの顧客からの提案を新たなビジネスチャンスと考え、そのことを上司に相談する。ところが上司の返答はペローの期待するものではなかった。

「うちの社名をよく見てみろ。インターナショナル・ビジネス・マシンと書いてあるだろう。つまりうちの会社は、マシンを売った数で評価されるんだ。伝票処理の請け負い仕事なんて、手間ばかりかかって儲かりっこない。そんなわけの分からないことを言わずに一台でも多くコンピュータを売ってこい」

と、相手にされなかったのである。そこでペローはＩＢＭを退職し、自分で会社を始めることにした。彼の会社は、もっとも効率化とは程遠い組織、つまり政府や地方公共団体をターゲットに営業活動を行い、「自社のサービスを使えば人件費を相当削減できますよ」と提案し、受注を順調に伸ばしていったのである。その結果、ＥＤＳは企業の経理や財務などの受託計算をするＩＴアウトソーシングサービスをいち早く確立し、このビジネスの先駆者的なポジションを手に入れたのだ。

自分が今働いているからこそ、その業界のどこにチャンスがあるか誰よりも早くつかむことができる。ペローの事例はチャンスと見たら、いち早くそれをビジネスという形にすることの大切さを教えてくれる。

ブルームバーグはロイターから生まれた

ニューヨークの市長を務めるマイケル・ブルームバーグも、自分の古巣の会社にいたときの経験から会社を興して、大成功した人物である。自分の名前を冠したアメリカの金融情報サービス会社、ブルームバーグが彼の作った会社だ。フォーブスの２０１０年度の世界の大富豪のランキングで23位に位置する、成功者中の成功者である。

もともとブルームバーグは、アメリカの投資銀行ソロモン・ブラザーズに勤め、共同経営者にまで上り詰めた。だが商品取引会社のフィブロにソロモン・ブラザーズが買収されることとなり、それに伴ってリストラされることになった。1000万ドル（日本円にして約8億円）の退職金をもらい、そのままビジネスの世界から引退しようかと考えていたが、妻から「あなた、このままでいいの？」と叱咤激励され、1981年にブルームバーグを立ち上げる。

ブルームバーグは、金融関係者向けにマーケットの情報を提供する会社である。現在では金融業の会社のほぼ100％が契約を結んでいる大会社だ。

ブルームバーグの創業当時、マーケットのデータ提供サービスは、ロイターとダウ・ジョーンズに牛耳られていた。ブルームバーグ自身も長年トレーダーをしながら、この2つの会社から情報を得ていたが、そのサービスと機能に、大いに不満を持っていた。そこで彼は、ロイターを「仮想敵」と考え、この会社を叩き潰す会社を作ることにした。ブルームバーグは、自分自身が証券マンだったゆえに、「自分が投資情報を扱うメディアを作れば、必ず勝てる」と踏んだのである。

会社設立当初はまったく知名度がないため、ブルームバーグ自身がサービス提供先の会社に出向き、端末の配線工事を行っていたそうだ。しかし今では、市況情報のシェアの33％を押さえるまでに成長している。ブルームバーグこそ、まさしく立志伝中の人物といえるだろう。

こうした事例を見ても、学生がいきなり起業することの無謀さが分かるだろう。まず、自分が興味のある産業で就職してみる。そうして経験と知識を蓄えてから、いずれその会社を叩き潰す会社を作ればいいのである。

新しい価値を生み出す、イノベーター起業家

「イノベーション」を生み出す発想力は、何も特殊な才能の持ち主のみが持っている限られた能力ではない。努力次第で誰でも伸ばすことができる力だと私は考えている。

もともと「イノベーション」とは、オーストリア出身の経済学者ヨーゼフ・シュンペーターが作った言葉である。彼は起業家の生み出す絶え間ないイノベーションが経済を変動させ、資本主義を進歩させていくと主張した。

日本ではよく「技術革新」と訳されるが、実は「新結合」という言葉がいちばんこの言葉の本質を捉えた訳語だと私は考えている。既存のものを、今までとは違う組み合わせ方で提示すること。それがイノベーションの本質だ。

社会にインパクトを与える商品やサービスを生み出したい、と考えたとしても、まったく新

しい製品を作る必要はないのである。今すでにあるものの組み合わせを変える、見方を変える、そうすることによってイノベーションを起こすことができるのだ。

それはこれまでに社会を変えた大ヒット商品を見ても分かる。古いところではソニーのウォークマンも当時すでにあったオープンリールのカセットデッキとステレオイヤホンを組み合わせ小型化した商品にすぎない。

世界中で数千万台売れている任天堂のゲーム機、ＤＳやＷｉｉも「枯れた技術の水平展開」と呼ばれる考え方で、すでに使い古された技術の組み合わせで作られた商品である。アップルが生み出したiPhoneはこれまでの携帯電話とはまったく違う新しさとインパクトを世の人々に与えたが、そのタッチパネルの技術やカラー液晶も、日本の携帯電話に使われている技術水準のほうが高いのである。

だからイノベーター型の起業家を目指すのであれば、特定分野の専門家になるよりも、いろいろな専門技術を知ってその組み合わせを考えられる人間になることのほうが大切なのである。ほかの業界、ほかの国、ほかの時代に行われていることで「これは良い」というアイディアは「ＴＴＰ（徹底的にパクる）」すれば良いのである。

イノベーションをある業界で起こすための発想術は、実はそれほど難しいことではない。その業界で「常識」とされていることを書き出し、ことごとくその反対のことを検討してみれば良い。たとえば自動車を売る販売店のビジネスでは、常識的に考えれば、お客さんは車を買うことができる「大人」が対象となる。しかしその逆に、「子ども」をお客にできないかと考えてみる。

販売店にすべり台やおもちゃを設置して、小さな子どもがいる家族連れが気軽に来られて、子どもを遊ばせながら車を見ることができる場所にしてみるのだ。「車は大人の買い物」という発想から、「車は子どもが楽しむもの」という発想に切り替えることで、まったく新しいビジネスのスタイルを生み出すことができる。実際にこの改革を行ったある自動車販売チェーンでは、家族連れの来店が大幅に増えて、売り上げを大きく伸ばすことに成功した。家族で来店することにより母親や子どもが車に求めるニーズも明確となり、その場で成約に至るケースが目に見えて増加したのである。

このように発想手段として、「何かを聞いたら反射的にその逆を考えてみる」というのはイノベーションを生み出すうえで、非常に有効な手法である。今までのやり方でうまくいっていないとするならば、そのまったく逆をやってみたほうが成功する確率が高まることは、往々にしてあるのだ。

ここまでに手に入れた「武器」

★自分の働く業界について、ヒト、モノ、カネの流れを徹底的に研究しろ！

★イノベーションのチャンスは「今しょぼい業界」にある。

★「TTP《徹底的にパクる》」と「逆の発想」がイノベーションを生む。

第7章

本当はクレイジーなリーダーたち

名伯楽の秘密——名馬より、駄馬を見分けるスキルが大切

ここからはスペシャリティな人材の3番目、「リーダー」について見ていこう。

紀元前1500年ごろ、中国古代に、馬を見分ける名人で、伯楽《はくらく》という人がいた。今でも人を見る目を持った人のことを「名伯楽」と呼ぶが、その語源となった人物である。

彼が馬の群れを一目見れば、たちどころに一日に百里を走る馬を見分けられたという。評判を聞いた人々が、自分も馬の見分け方を知りたいとやってきて、伯楽に教えを乞うことがよくあった。そのときに伯楽は、自分の嫌いな客と好きな客で、教えることを分けていたと伝えられている。

伯楽は、嫌いな相手に「名馬」の見分け方を教え、好きな相手には「駄馬」を見分ける方法を教えていたのである。

普通に考えれば、贔屓《ひいき》のお客に名馬の見分け方を教えるところだが、彼は逆だった。伯楽はどうして「駄馬の見分け方」を贔屓の客に教えたのか。

それは、世の中には、名馬よりも駄馬のほうがずっと数が多いからだ。ならば、めったに存在しない名馬を見分ける眼力よりも、世に溢れる駄馬の中から本当にダメで使いようがない馬

郵 便 は が き

料金受取人払郵便

小石川支店承認

1187

差出有効期間
平成25年3月
31日まで

1 1 2-8 7 3 1

東京都文京区音羽二丁目
十二番二十一号

講談社
学芸図書出版部 行

★この本についてお気づきの点、ご感想などをお教え下さい。
(このハガキに記述していただく内容には、住所、氏名、年齢などの個人情報が含まれています。個人情報保護の観点から、ハガキは通常当出版部内のみで読ませていただきますが、この本の著者に回送することを許諾される場合は下記「許諾する」の欄を丸で囲んで下さい。

このハガキを著者に回送することを　許諾する　・　許諾しない　)

愛読者カード

今後の出版企画の参考にいたしたく存じます。ご記入のうえご投函くださいますようお願いいたします（平成25年3月31日までは切手不要です）。

お買い上げいただいた書籍の題名

a　ご住所　〒□□□-□□□□

b　お名前《ふりがな》

c　年齢（　　　）歳

d　性別　1 男性　2 女性

e　ご職業　1 大学生　2 短大生　3 高校生　4 中学生　5 各種学校生徒　6 教職員　7 公務員　8 会社員(事務系)　9 会社員(技術系)　10会社役員　11研究職　12自由業　13サービス業　14商工業　15自営業　16農林漁業　17主婦　18家事手伝い　19フリーター　20その他（　　　）

f　本書をどこでお知りになりましたか。
1 新聞広告　2 雑誌広告　3 新聞記事　4 雑誌記事　5 テレビ・ラジオ
6 書店で見て　7 人にすすめられて
8 その他（　　　）

g　定期的にご購読中の雑誌があればお書きください。

h　最近おもしろかった本の書名をお教えください。

i　小社発行の月刊ＰＲ誌「本」（年間購読料900円）について
1 定期購読中　2 定期購読を申し込む　3 申し込まない

をふるい落として、気性は荒いけれど力が強かったり、足は速くないがスタミナがあったりする馬の素質を見抜いて、適材適所に使える能力のほうがずっと役に立つからである。

本当の「マネジメント」とは

人間をマネジメントするスキルにも同じことがいえる。世の中に傑出した人物などほとんどいない。たとえいたところで、その人物が自分の配下になってくれるかどうかは別の問題だ。世のほとんどの人は凡人なのだから、その凡人をうまく使うスキルを学ぶことが大切なのである。

大手コンサルティング会社や名門投資銀行でマネージャー経験を持つ人が、満を持して独立する。だが自分で会社を始めてすぐに、部下とトラブルを起こすケースが珍しくない。以前からできる奴と目をつけていた元部下を引き抜いたものの、その部下と大げんかしたり、有能な秘書とうまくいかずに愛想をつかされたりする。

これも当然の話だ。トップクラスのコンサルティング会社で高い給与をもらっている優秀な若手社員をマネージするのは、その会社にいれば誰でもできる簡単なことだからだ。その会社のヒエラルキーと自分の役職の威光があったから、部下が言うことを聞いていただけの話なのである。

従順だった元部下が実はあんなに我《が》が強いとは、と思っても後悔先に立たず。それでは自分で人材を育てようと、新しく社員を雇い入れてみるが、彼らに仕事をさせてみたら、あまりのレベルの低さにトラブル続出。キレて叱ってみても、相手がなんで怒られているかわからない様子で、会社のムードは最悪に。いったいどんな手を打てばいいのか、早くも社業に暗雲が立ちこめる……といった話を聞くことは少なくない。

つまりリーダーには、優秀だがわがままな人をマネージするスキルも大切だが、優秀ではない人をマネージするスキルのほうが重要なのである。ダメなところが多々ある人材に、あまり高い給料を払わずとも、モチベーション高く仕事をしてもらうように持っていくのが本当のマネジメント力なのだ。

問題社員を使いこなして高収益

このリーダーに求められる資質は基本的に、大航海時代の香辛料貿易から変わらない。数年に及ぶ危険な航海に乗り出す船に、あえて乗り込もうとする船員たちには、ゴロツキや酔っ払いや犯罪者など、社会からの落伍者《らくごしゃ》が相当数いたであろうことは想像に難《かた》くない。リーダーである船長は、そうしたロクでもない連中を統率して、言うことを聞かせなければならなかったのである。しかしそのような荒くれ者をうまく使いこなすことができる船長だからこそ、航海から戻ったときには大きなリターンを得ることができたのだ。

会社のトップにも同じことがいえる。

たいへんキツい労働条件ながら、数年働けば数百万円貯蓄することも可能なことで有名な、大手の運送会社がある。その会社の面接には、元暴走族の青年や、パンチパーマや丸坊主といった「ワケあり」の人材が集まってくることで有名だ。だがその会社は、そのような問題社員に対して「アメとムチ」を上手に使い分け、たいへんな収益を生み出している。同社の社員は実に勤勉なことで知られ、利用者の多くが同社のドライバーに対して、「爽《さわ》やかな好青年」というイメージを持っているのである。これも同社独自のリーダーシップ・マネジメントの賜物《たまもの》といえるだろう。

資本主義の社会では、これまで述べたように、自らが会社を興《おこ》して事業を営むか、あるいは自分が株主として会社の利益に応じて報酬を得られる仕組みを構築することが大事となる。その場合に欠かせないスキルが、人をどうやってマネジメントするか、というリーダーシップのとり方なのである。

ここからは、いろいろな企業のリーダーがどのように部下をマネジメントしているのか、見てみることにしよう。

クレイジーな人だけがリーダーになれる

起業して事業を成功まで持っていくには、尋常ではないパワーが必要となる。言うことを聞かない社員をなだめすかし、時には脅しながらきちんと働いてもらって成果を上げるには、アジテーターとしての才能がいる。

私が個人的に知っている、携帯電話ショップの事業を大成功させて会社を上場に持っていったある経営者は、「携帯の電波は無尽蔵にあるだろう。それと同じくらい、中途半端な、社会の歯車になるしかないような奴も無尽蔵にいる。だったらそういう人間に、携帯電話を売らせれば、いくらでも儲かるはずだ」と述べていた。

マイクロソフトで創業者ビル・ゲイツの腹心を務め、現在は同社のCEOであるスティーブ・バルマーもまた強烈なリーダーだ。彼のすごいところは、世界中から超がつくほど優秀な人々が集まる同社で、社員たちを駄馬のごとく徹底的に働かせているところにある。

「ビルが天国を語り、スティーブが地獄に叩き落とす」という比喩《ひゆ》でよく知られる人物である。黎明期のマイクロソフトで創業者のビル・ゲイツは、従業員によく、パソコンを通じて社会にどれだけ自分たちが貢献できるか、夢や理想を語っていた。企業活動の根幹にそうした夢や理念があることは非常に重要なことだが、現実は、それだけでは人は動かない。

マイクロソフトという会社があそこまで大きくなった理由は、コンピュータ業界において「こうあるべきだ」という正しい理想の姿を実現するために、必要な事業活動を猛スピードで実行し、さらに競合となる企業を徹底的に叩き潰してきたことにある。つまり同社には、理想論を語るビル・ゲイツとは別に、冷徹で時に残酷な決断を躊躇《ちゅうちょ》なくできる人物が必要だった。そして、スティーブ・バルマーがその役割を担ったのである。

バルマーは学生時代、アメリカンフットボールのマネージャーをやっていたこともある、体育会系の人間だった。そのときの経験から、荒くれ者をコントロールするスキルを身につけたと思われる。

高校時代の成績は非常に優秀で、ＳＡＴ（アメリカの大学進学適性試験）では、数学で８００点満点を取った。クラスの卒業生総代となり、大学はハーバードに進学。同大学では、学内機関紙の広告部長を務め、ビル・ゲイツとは同じ学生寮の同じ部屋に住んでいた。大学を第２位の優等という成績で卒業し、その後は、アメリカを代表する洗剤・家庭用品の会社、「Ｐ＆Ｇ」に入社する。後日、そのときの同期がＧＥ（ゼネラル・エレクトリック）の現在の社長となる。

Ｐ＆Ｇでも順調に出世の階段を上っていき、スタンフォード大学でＭＢＡの学位をとろうとするが、そのときビル・ゲイツに「コンピュータが世界を変えようとしているときに、石鹸《せっけん》なんか売ってる場合じゃないだろう。これからの時代、一人が1台、コンピュータを持つようになるんだ。おれといっしょにやろうよ」と説得されて中退し、マイクロソフトに入社する。

私は彼の演説を聞いたことがあるが、初めて彼のスピーチを聞く人はみな、叫ぶようなスタイルで猛烈に聴衆を煽るスタイルに度肝《どぎも》を抜かれること間違いなしだ。ユーチューブでもその映像を見ることができる（「Steve Ballmer」で検索すると出てくる）が、プロレスラーの登場シーンそのものといっても過言ではない。いつも真っ赤なネクタイを締め、エネルギーを全身からほとばしらせながら、大声で話す非常に勢いのある人物である。講演後、握手をしたが、満面の笑みを浮かべながら、こちらの手が潰れるかと思うほど強く握りしめてきたことをよく覚えている。

マイクロソフトの役員がグーグルに引き抜かれそうになったときは、会議の席でその人物に向かって椅子を投げつけたという逸話もある。そういうとんでもない人がいるからこそ、マイクロソフトはあれだけの企業になったのである。

宗教的指導者、カルロス・ゴーン

優れた経営者というのは宗教の教祖に近いところがある。カルロス・ゴーンがそのいい例だ。

1999年、倒産寸前だった日本2位の自動車メーカー日産自動車は、ルノーからやってきたカルロス・ゴーンを社長に迎える。

当時はまだ、日本に本格的なグローバリズムの波がやってきていることが一般に認識されていない時代であり、生粋《きっすい》の日本企業であった日産の社長に、突然フランスからやってきた外国人が就任するとあって、非常に大きなニュースとなった。

当初は労働組合の反発や、外国人の社長に日本の会社の経営が分かるのか、といった危惧《きぐ》の声があったが、ゴーンは社長就任後からすぐに次々と改革案を打ち出し、みごとに5年間で日産自動車の業績をシェア12％から20％へとV字回復させる。

突然フランスからやってきた社長、カルロス・ゴーンに、なぜ日本の社員はついていったのか。その秘密は、彼が就任した際に演説した言葉にある。

「私は結果を出すために来ました。リーダーにはコミットメントが必要です。コミットメントとは、何かを達成すると約束をして、それが達成できなかったら、責任をとるということです。私が社長に就任して、結果を出すことができなかったら、私はこの会社を辞めます」

彼はこのように、最初の就任演説で社員に告げたのである。

日産の社員もほとんどがその段階では、ゴーンが結果を出せるとは思っていなかったに違いない。内部の人間からすれば、突然来た外国人社長が何を突然、無茶なことを言い出すのか、という思いだっただろう。しかし日産の社員たちは、ゴーンのコミットメントの、自己に厳しい姿勢に心を動かされ、実際に彼が数々の改革を力強く推進していくのを見ていくうちに、「この社長を信じてみよう」と従うようになっていった。それはゴーン自身の言葉と行動に、多くの人を信じさせるパワーがあったからだとしか説明のしようがない。

ゴーンとて、絶対確実に日産を回復させるだけの目算があったわけではあるまい。しかし自分がやれば必ず業績は回復するはずだ、という自分への強い信頼があった。

彼のように、優れたリーダーには「自分はすごい」という勘違いが必要なのである。そういう宗教家のような確信に満ちた態度がなければ、自分が信じ込んでいるビジョンやストーリーを、何千人もの社員に伝えて先導していくことはできない。

そういう観点からすると、ここ最近の日本の政治家で、いちばんリーダーの素質を持っていたのは小泉純一郎元首相だろう。在任期間中の彼は、時にむちゃくちゃとも思える発言でニュースを騒がせたが、多くの国民の人気を集めた。彼の言葉を詳細に見れば、かなりの「とんでも発言」をしているのだが、えてして一般大衆はああいった分かりやすい言葉を歯切れよく語る指導者についていくものなのである。

学校では「みんなの上に立つ人はすばらしい人」と習うが、現実の歴史では、そういう「すばらしい人」が、人の上に立って何か大きなことをなしたことはほとんどない。

日本人の多くは、謙虚ですばらしい人格を持ったリーダーを好むが、そういう人は実際にはリーダーにはなれないのである。歴史に名を残すレベルの企業を作ったようなリーダーというのは、みなある種の「狂気の人」であることが多いのだ。

体育会系のジョン・ウッド

最近の学生の間では、利益を追求するビジネスを嫌って、「もっと世の中に貢献したい」などとＮＧＯやＮＰＯ法人への就職を希望する人が増えているという。いわゆる「社会起業家」と呼ばれる人々にも注目が集まっており、これからますます事業を通じて社会貢献をしようとするムーブメントは活性化していくだろうと思われる。

私がこれまで述べたようなリーダー像は、あくまでビジネス社会の話であって、ＮＰＯ法人や社会起業家のリーダーはもっと心が清らかで穏やかな人物だろう、と思う人もいるかもしれないが、社会起業家のリーダーにもまったく同様の「クレイジーさ」が求められる。

今現在、世界中でいちばん成功している社会起業家は、アメリカの非営利団体、「ルーム・トゥ・リード」の創始者、ジョン・ウッドという人物だ。彼はもともと、マイクロソフトの幹部社員で、アジアエリアの営業責任者を務めていた。

社員としても非常に優秀な人物だったが、あるとき営利を目的とする企業姿勢に疑問を抱き、マイクロソフトで学んだビジネスとマーケティングの知識をＮＧＯの運営にそのまま生かして独立することを決める。

彼が作ったNGO「ルーム・トゥ・リード」は、発展途上国の子どもたちに教育の機会を与えることをミッションとしている団体だ。サポーターから資金を集め、現地の人々と協力しながら学校や図書館を設立し、貧しくて教育を受ける機会がない子どもたちに、学ぶことを通じて生きる力を与えようと尽力している。彼らの活動は設立後わずか数年で世界中に広まり、2010年4月の段階で410万人以上の子どもたちに教育の機会を提供している。

そのルーム・トゥ・リードの会議はほとんど、企業の営業ミーティングと同じである。

何よりも客観的な指標である数字が重視され、サポーターからの寄付が目標に達していなければ厳しく糾弾される。反対に目標が達成されれば「さあ、みんな拍手しましょう！」とメンバー全員で讃《たた》えるようなノリで運営されているのである。ボランティア活動というよりも、まさしく宗教か自己啓発セミナーの雰囲気なのである。

以前、ある若い社会起業家がジョン・ウッドに「メンバーのやる気が足りないのですが、どうしたら良いでしょうか？」という質問をした。そのときの彼の答えは次のようなものだった。

「簡単なことだ。自分自身が結果を出し続ければ良い。リーダーが結果を出せばみんなついてくる。あなたが結果を出していないからダメなんだ。まずは結果を出してください」

完全に体育会系の思考法であることが分かるだろう。

講演をする機会があれば、彼は必ず聴衆にこう言う。

「今日あなたたちが、僕の話を聞いて良かったと思って、それで終わりでは困ります。もしあなたが会社の経営者なら、『ルーム・トゥ・リードに寄付しないのはおかしいじゃないか』と思ってください。そしてすぐに社員に寄付を呼びかけてください。もしあなたが一般の社員なら、すぐ経営者に『なぜうちの会社はルーム・トゥ・リードに寄付しないのか?』と聞いてください。もしあなたの近くにメディアの人がいたら、『なぜあなたはルーム・トゥ・リードを取材しないのですか。今すぐ連絡してください』と問いただしてください」

営利目的の経営者でもここまでやる人は珍しいことが分かるだろう。

しかし、ジョン・ウッドはこれだけの熱を持っている人だからこそ結果を出し、世界中のスタッフがついてくるのである。ルーム・トゥ・リードでは、非常に優秀な人々が安い給料で猛烈にがんばって働いているが、そのエンジンとなっているのがジョン・ウッドのリーダーシップなのだ。

人格破綻者、スティーブ・ジョブズ

アップルのCEOであったスティーブ・ジョブズも、今でこそカリスマ経営者として賞賛されるが、その実態はとんでもない人物だ。だいたいリーダータイプの人間は、意見がころころ変わる。結果を出すためにすぐ考え方を変えられる、適応力の高い人が向いている。スティーブ・ジョブズの場合は、「真実歪曲《わいきょく》装置」が彼の中に内蔵されているのではないか、とすら言われていた。昨日批判した部下の意見を、今日にはまるで最初から自分の意見だったかのように言うこともよくあるという。

中国の古典に「君子豹変、小人革面（くんしはひょうへんし、しょうじんはおもてをあらたむ）」という言葉がある。君子は時に応じて、豹《ひょう》の毛が生え変わるように鮮やかに変化する。本当に、ひとかどの人物であれば、変化や改革を恐れない。必要であれば、あるいは過ちと分かればがらりとやり方、態度を変えたりもする。ところが、小人は、表面上それを受け入れるそぶりをしつつも、旧来のやり方や面子《メンツ》にとらわれて、古いやり方や一度口にした自説にこだわってしまう。

人は意見がブレる人のことを信用しない。意見を変えるなら変えるで、はっきりと表明すればいいのだが、言を左右にして誤魔化《ごまか》すから信用されなくなる。日本の政治家が信用されないのもそのためだ。意見を変えるときには徹底的に変えることが重要なのだ。

またリーダーは多くの人から支持される人物だと思いがちだが、それも大きな間違いだ。実際には人間を「敵と味方」に二分して、敵である相手を徹底的に叩き潰すといったタイプが多い。

スティーブ・ジョブズは、「敵」と見なしたソフト会社であるアドビシステムズを潰すためにあらゆる方法をとった。2010年に発売した新製品のiPadではアドビの動画を動かすデファクトのソフト「フラッシュ」をサポートせず、全面戦争を仕掛けたと話題になった。

マイクロソフトのスティーブ・バルマーも、インターネットの黎明《れいめい》期にブラウザの分野で競合だったネットスケープを叩き潰すために、彼らが有料で配っていたブラウザを無料で配布した。その際にバルマーは「(ネットスケープへの)酸素の供給を止めるんだ」と言ったそうであるが、なかなか普通の人に言える言葉ではない。

いかにリーダーが強烈なパーソナリティを持っているか、このエピソードからも分かるだろう。

リーダーの多くはコンプレックスを持っている

ここまでに挙げた数々の「クレイジー」なリーダーを見ても分かるとおり、まずあなたが、大きな組織のリーダーは人格者でみんなから愛される性格の良い人である、という思い込みを持っているとしたら、それは真っ先に捨てるべきだ。

いろいろな経営者の自叙伝を読むと、人格的に優れており「なるほど、この人のもとで働きたい」と思うようなすばらしい人物像が描かれているが、はっきり言ってそのほとんどは、編集者とライターと広報担当者が合作した「虚像」にすぎない。

実際のところ革命的なことを成し遂げるリーダーの多くは、ある種の人格破綻者であるか、あるいは新興宗教の教祖のような自己愛の塊である。そして、そうした強烈なリーダーが率いるからこそ、組織は成功するのである。

『スリッパの法則　プロの投資家が教える「伸びる会社・ダメな会社」の見分け方』（ＰＨＰ研究所）という本がある。その著者で投資家でもある藤野《ふじの》英人《ひでと》氏は、投資を検討中の企業を訪問したときに、「この社長はどういうコンプレックスに突き動かされているのか」ということをまず分析すると述べる。

藤野氏によれば、リーダーを目指す人は、だいたい過去にコンプレックスを持っていることが多いというのだ。経歴を調べてみるとなぜか社会人になる以前の経歴が不明だったり、親しくなってもなぜか家庭の話をいっさいしなかったり、ということがよくある。

自分の容姿に長年コンプレックスを抱いていて、女性にモテなかった過去から、いつか見返してやろうと努力を続け、その結果人が羨《うらや》む大成功を遂げた経営者も少なくないという。しかしいくら功成り名遂げたとしても、コンプレックスそのものはいつまでも解消されない。そのため彼らは、さらなる成功を目指して突き進んでいくのである。


こうした心理は経営者に限らず、あらゆる世界のリーダーに共通する感情かもしれない。

ハロルド・ラスウェルという政治学者は、著作の『権力と人間』(東京創元社)の中で、「どのような人間が権力者を目指すか」という研究成果を発表した。それによれば、政治家の多くが幼少期に、権力に無理やり屈服させられたような嫌な記憶を持っており、その反動で自分が権力者になることを目指すのだという。望みを挫折させられて、その恨みを社会に晴らすために政治権力を握ろうとする人が多いそうなのだ。

だからもしも本書を読むあなたが、自分自身の過去に大きなコンプレックスを持っているとしたら、それはリーダーになる大切な素養を持っているということなのかもしれない。自分の人格が少し普通の人と違って破綻しているな、と感じていたり、自分には極端な自己愛があるな、と自覚しているならば、その「負の側面」を逆転させることでリーダーへの道が開かれる可能性がある。

ただし気をつけねばならないのは、あまりに強烈なコンプレックスを持つリーダーは、最終的に破綻するケースも多いということだ。自分自身をコントロールしきれなくなり、事業を拡大しすぎて会社を滅亡に導いた経営者も少なからず存在する。

戦争での飢えの体験からダイエーを創業し、猛烈に事業を拡大しつつも最後は寂しい晩年を迎えた中内㓛《なかうちいさお》氏や、貧乏な家庭で育ったことをバネに次々と事業を立ち上げながらも、介護事業を金儲けに利用したと強烈なバッシングを受け失墜《しっつい》したグッドウィルの折口雅博《おりぐちまさひろ》氏などが、その典型例といえるだろう。

長年ビジネスの世界で生き残っている経営者には、やたらと謙虚さを強調したり、慈善事業をしていることをさりげなく主張したがる人も多い。おそらくそれは、自分の中のダークサイドとのバランスをとろうとしているのである。そして、そのバランスを維持できるだけの精神力を持っている人だけが生き残るのである。

リーダー気質じゃなくても道はある

反対にあなたが「自分はそこまでクレイジーではないが、組織を運営してみたい」と感じるならば、それはそれで組織に必ず必要な、「リーダーの言葉を翻訳して仲間に伝える」タイプであることを意味するかもしれない。組織はリーダーだけでは成り立たない。ロールプレイングゲームのパーティには、戦士や魔法使いや盗賊といった特徴の異なる職業が必ず必要なように、企業にもリーダーが持っていない能力の持ち主が必要だからだ。

実際に、成功した起業家の多くが、自分とは正反対の性格を持つ人をビジネスパートナーとして雇っている。

世界でもっとも成功している投資家、ウォーレン・バフェットの経営する投資会社「バークシャー・ハサウェイ」は、チャーリー・マンガーという男が長年パートナーを務めている。バフェットは政治的にはリベラルな民主党支持者で無宗教、それに対しマンガーは保守的な共和党支持者で、キリスト教徒である。さまざまな投資判断において二人の判断は別の答えを出すこともあるが、それによって複眼的に物事を捉えることが可能となり、拙速な判断ミスを防ぐことができているのである。

もしあなたが、自分自身ではリーダーになれない、と感じているのであれば、マンガーのようにリーダーをサポートする役割を果たすことでも、十分成功のチャンスをつかむことはできるのだ。

ここまでに手に入れた「武器」

★「駄馬」を使いこなすのが本当のマネジメント。

★クレイジーな人はコンプレックスを原動力とせよ！

★クレイジーでない人はリーダーのサポート役になれ！

第8章　投資家として生きる本当の意味

「投資家のあたま」で考える習慣をつける

この章では、スペシャリティの4番目である「投資家（インベスター）」として生きるとはどういうことなのか、説明していきたいと思う。

日本では「投資家」というものに対して、あまり良いイメージが持たれていないようだ。一般の人で「投資家を目指す」という人は少ないし、小学生で将来の夢に「投資家」と挙げる子どもは、まずいないだろう。ひどい話だが、投資というと「山師」「詐欺」といった言葉がセットで思い浮かぶ、という人も少なくない。

しかし、そのイメージこそが、今の日本人が資本主義についてまったくカン違いしていることの証拠だと私は考えている。

なぜ日本人は、投資に対しての理解が浅いのか。

その理由のひとつはおそらく、「投資」と「投機」の区別がないことが考えられる。「投機」とは要するに、利殖のみを目的に、一攫千金《いっかくせんきん》を狙って行う賭け事だ。得《とく》する人間が一人いれば、損する人間がその何倍もいる。つまりは大勢の損が、少数の得に移転するだけの、ゼロサムゲームである。本質的にはパチンコや競馬、競輪と変わることがないギャンブルだ。

それに対して「投資」は、畑に種を蒔《ま》いて芽が出て、やがては収穫をもたらしてくれるように、ゼロからプラスを生み出す行為である。投資がうまくいった場合、誰かが損をするということもなく、関係したみなにとってプラスとなる点が、投機とは本質的に異なる。また投機が非常に短期的なリターンを求めるのに対して、投資は本質的に長期的なリターンを求めるところも大きな違いだ。

しかしそのような投資の本質について理解している人は、日本にはほとんどいない。投資と「お金」は切っても切れない関係であるために、シェークスピアの『ヴェニスの商人』に出てくる金貸しシャイロックのイメージのような、「強欲」「金銭崇拝」といったイメージとも結びつきがちだ。近年でいえば、阪神電鉄などの買収に絡《から》んで全国のタイガースファンの不興を買った、「M&Aコンサルティング（通称・村上《むらかみ》ファンド）」代表の村上世彰《よしあき》氏が、代表的な「投資家」のイメージだろう。村上氏は2006年にニッポン放送の株取得をめぐるインサイダー取引疑惑によって逮捕されたが、その際に「お金を儲けて何が悪いんですか」とマスコミに言ったことで、日本中からバッシングを受けた。メディアによって作り上げられた投資家の「悪者感」は、相当に根深いものがある。

なぜ日本人は投資家を嫌うのか

欧米では「投資家」という職業に対して、一般的に畏敬と尊敬の念が抱かれているのだが、なぜ日本ではそうした投資家に対する誤解と偏見が生まれたのか？

これは私の推測だが、おそらく日本には長い間、士農工商という身分制度があり、なかでも武士と農民の影響力が強かったことが影響しているように思える。

武士の持っていた「滅私奉公」「武士は食わねど高楊枝」というメンタリティは、高度経済成長を支え「働きアリ」と呼ばれた日本のサラリーマンの精神性の原形をかたちづくった。

また農民の生活でも、村落の代表である庄屋の下で、小作人が働き年貢《ねんぐ》を納めるという完全な管理社会が、何百年もの間成立していた。

庄屋は藩に納める年貢の米を滞《とどこお》りなく集めるために、小作人をうまく使い、彼らに安心して働いてもらえるようさまざまな配慮を行っていた。小作人も長年、年貢という搾取の構造に対して「この村に住む以上、仕方がないこと」と受け入れていたのである。

しかし日本でこうした収奪構造が完成したのは、安土桃山時代に豊臣秀吉が行った「刀狩り」以降のことだ。それ以前の鎌倉や室町時代のころには、地頭を代表とする豪族たちが、

「自分の土地」をがっちりと囲い、それぞれの権利を主張していた。農民も自分たちの土地が奪われそうになれば武器を持って戦うことも珍しくなかったのである。

だから「日本人のＤＮＡには権利意識がないため、欧米型の権利を主張するビジネスは向かない」といった論調は間違っていると私は考える。

いずれにしろ日本人の多くは、長年続いた封建制度に基づく搾取構造の中で、ある意味で飼いならされてしまったといえる。また戦後長らく、高度経済成長のもとで働けばどんどん豊かな生活をすることができるようになったことも拍車をかけた。経済自体が拡大していたので賃金もどんどん上がっていき、普通の人が普通の会社に入れば、なんとか定年までには家を買ってローンを返し終わる、という生活が可能だった。こうして、〝本物の資本主義〟に対して真正面から向き合わずとも人生を送ることができたのだ。

究極的にはふたつの道しかない

しかしその状況は完全に終わった。

最近、正体不明の外国人が日本の山林を買い占めているという報道がされたことをご存じの方もいるだろう。

買い占めているのは近年爆発的に富を増やしている中国人の新興富裕層であるといわれている。市場開放したとはいえ、中国はいまだに土地の個人所有を認めていない。また中国の貨幣である人民元も変動相場制に移行しておらず、将来的に自由化されたときには、その価値がどうなるか予測ができない。中国は中央集権の国家体制のため、完全な資本主義国家には移行できない側面があり、そこに住む中国人富裕層も、国家が発行する貨幣を信用していないのである。

私は長期的には中国は普通の資本主義国になると予測しているが、その道は平坦《へいたん》ではないとも思っている。そのため彼らは、いざというときのための「資産」「貯金」として、世界中に資産を分散し始めており、その一環として、日本の土地を買いあさっているといわれている。

つまり我々が長年住み続けてきた、この日本の国土すらも、資本主義の市場の中で、商品として売られるようになってしまったのである。第2章で述べたように、ここ10年の間に、日本に押し寄せている「本物の資本主義」の波は、多くの日本人が考えている以上に激烈で、すべてを押し流すほど容赦のない勢いであることを、この報道ひとつからもうかがい知ることができるだろう。

だからこそ、私は本書で、これからは投資家的な発想を学ぶことがもっとも重要だということを繰り返し述べたい。なぜならば、資本主義社会では、究極的にはすべての人間は、投資家になるか、投資家に雇われるか、どちらかの道を選ばざるを得ないからだ。

株を自ら所有するしないにかかわらず、私たちの社会は株主（資本家）なしには存続できない。我々がふだん食べる食事も、移動するために乗る自動車も、毎日を過ごす家も、そのほとんどが民間企業、つまり株式会社が提供している。また自分自身が勤める職場も株式会社であるならば、その時点で自分という労働力を株主に提供することで、その見返りに報酬を得ているということになる。

会社は株主のもの

2005年のライブドアによるニッポン放送の敵対的買収や、先述の村上ファンドによる阪神電鉄グループの買収が大きなニュースになった際に、「会社は誰のものか」という議論が話題となった。

株主のもの、経営者のもの、そこで働く労働者のもの、お客さんのもの……、議論百出の様相を呈《てい》したが、いまだ万人の賛同が得られる統一的な答えは出ていない。

しかし私自身は投資家であり、投資家的な考え方が骨身に染み付いているから、私の答えは当然「会社は株主のもの」である。このような考え方に対して異論や反論があることは百も承知だが、そもそも株式会社というものの設立の歴史と機能を考えれば、それ以外の解答はないのである。

株式会社発祥の地である欧米では、「会社は株主のもの」という考え方が当然のものとして受け入れられており、私が勤めていたマッキンゼーのようなコンサルティング会社も、社員に研修などで、「会社とは shareholder（株主）のものだ」と教え込む。

だからコンサルティングにおいて発注者である経営者の意向が、その会社の株主の利益とは相反するものであった場合、たとえコンサルティング契約を打ち切られても「NO」を貫くようにと教えられる。なぜならば長期的に見た場合、真のクライアントである株主の利益に資する提案を行ったほうがマッキンゼーの評価を高めるからだ。

「株主などというわけの分からない人々のために働いているのではない」と考える人もいるかもしれないが、その人が働いてもらう給与や年に数回もらえるボーナスも、株主が所有する資産が形を変えたものであることを理解しておく必要がある。

その給与も銀行に預けられた時点で、銀行が自らの株主に利益をもたらすことを目的に、さまざまな企業や国債に勝手に投資されているのである。さらに言えば、年金は株式にも投資されているので、知らない間に株主にもなっていることになる。

つまり資本主義の国で生きる以上、株主（投資家）の意思のもとに生きざるを得ない、ということなのだ。それならば、自分自身が投資家として積極的にこの資本主義に参加したほうが良いのではないか、というのが私からの提案なのである。投資家に振り回されるのではなく、投資家たちの考えを読み、自らが投資家としてふるまうのである。そうするとこの世界が、違った形で見えてくる。

発展途上国ビジネスの正体

投資家として生きるということは、「資本を所有して、それを自分のために適切な機会に投資する」ということだ。

資本を所有することがいかに重要か、それは発展途上国を支援するビジネスに見ることができる。

バングラディシュのグラミン銀行は、貧困者向けの小口金融で世界的に有名になった。マイクロファイナンスやマイクロクレジットと呼ばれる、貸し付けの仕組みである。このマイクロファイナンスは人々の貧困を緩和すると同時に、最貧国の産業を育て、事業を生み出すものとして話題となった。

途上国でも一般の銀行は、土地や建物のような担保となる資産を持っている富裕層だけにしか貸し付けを行わない。そのため、貧困層はお金を借りることができず、事業を始めようとすれば、非合法な高利貸しを頼ることしかできない状況が続いていた。マイクロファイナンスは、その貧困者にお金を貸すことで、自立をサポートし、貧困からの脱却をはかるという社会的課題の解決に貢献するということで、一躍世界のニュースの主役となったのである。

しかし、そのマイクロファイナンスの金利はどれくらいかご存じだろうか?

貧困からの脱却サポートの画期的な試みだと高い評価を受けたグラミン銀行でさえも、年利25%から30%という、サラ金も裸足で逃げ出す高利率。多いところでは、なんと年間で40%もの金利をとっているのである。

高いと思われるだろうか。

確かに、今の日本の預金の感覚で考えれば、驚くほど高い。しかし、この機関は、ただ貸すだけではなく、貸す側が毎週集会を開き、お金の使い道や返済の計画について無償で個別にアドバイスなどを行っている。貧しい人々に、継続的にお金を生み出す具体的な方法を教えることで、借りたお金を元に家畜の飼育や竹細工の製作、食料品の販売などを営むことができるように援助しているのである。

村のボスの管理下にある手工業で働いているときは、いくら仕事をしても、どうにかカツカツ生きていけるだけの賃金をもらって終わりだった。すべての稼ぎが食べて生きていくために費消《ひしょう》され、子どもの教育や貧困から抜け出す手立てに回す余裕などあるわけもない。毎日毎日、最低の賃金で働かされ続け、その生活は死ぬまで続く。

それが、自分が資本を所有するとどうなるか。

できる限り安く材料を仕入れ、工夫して製品を作り、それを自分が望む買い手に、希望する金額で売ることができるようになる。仲買人に商品をタダ同然で持っていかれるのではなく、市場に直接売りにいけるようになる。

市場に行けば、世の中ではどんな商売が儲かっていて、人々はどんな商品を欲しいと思っているのか、気づきのチャンスを得ることができる。もしそこで人々が欲しがっているのに、誰もまだ作っていない商品を開発できれば、大儲けするチャンスとなる。

このように、資本を所有するということは、非常に大きな意味を持つのである。

日本のベンチャーキャピタルは「二流」

資本を手にしたらどう活用するか。ここではその例として、投資ファンドのひとつ、ベンチャーキャピタルについて取り上げよう。ベンチャーキャピタルは未上場企業を主な対象とする投資ファンドで、将来有望と思われる生まれたばかりの会社に投資するビジネスだ。

実際に日本でも一時期（2005年ごろ）までは、成長するベンチャー企業に投資してIPO（株式上場・新規株式公開）によって儲けようとするベンチャーキャピタルに勢いがあったが、2008年に起きたリーマンショック以後、元気を失っている。

それは投資先の企業がなくなったからではなく、リーマンショックによってベンチャー企業の新規株式公開が極端に減ったためである。見込みのあるベンチャーに投資して（株主となって）、その会社が上場したときに持ち株を売って儲けるのがベンチャーキャピタルのビジネスモデルだったわけだが、出口（エグジット）がなくなってしまったのだ。

日本でベンチャーキャピタルのビジネスが本格的に始まったのも、ここ十年前後にすぎない。日本の市場規模を考えれば、ベンチャーキャピタルが入り込む余地はまだまだあるのだが、現状ではそうなっていない。それははっきりいえば、今のベンチャーキャピタルの多くが欧米の一流どころのベンチャーキャピタルと比べて「二流」と呼ばざるを得ないからである。

アメリカの本物のベンチャーキャピタリストは、だいたい本人自身に事業で大成功した過去がある場合が多い。当然、大金持ちであり、企業を経営した経験も豊富に持っている。一方、日本のベンチャーキャピタリストというのは、銀行を辞めた人や商社を辞めた人が独立して起こした会社がほとんどだ。つまり彼ら自身に経営の経験や事業を成功させた体験はほとんどないのである。

ビジネスパーソンが「儲かるから」という動機だけでいきなりラーメン屋を開いても、うまくはいかないのが道理である。

ところがなぜか日本のベンチャーキャピタルの場合は、元商社マンや元銀行家といった、起業や投資とは畑違いで実業の経験のない人々が集まって始めることが多いのだ。そのため多くのベンチャーキャピタルは、ベンチャー投資に関する知識や経験、判断能力もなければ、その後、会社を大きくするノウハウも持ち合わせていない。

また欧米のベンチャーキャピタルとのいちばんの違いは、日本の場合は「他人の金」を集めて投資しているところだ。

アメリカのベンチャーキャピタリストは3人ぐらいのパートナーが集まり、それぞれが持つ資産から数億円出し合い、そのうえで外部からの出資を集める。「失敗したら自分たちも損をする」という覚悟でなければ投資をしない。彼らはその覚悟があるからこそ、投資先の経営にも口を出すし、経営がうまくいかない場合には、外部からいい人材をスカウトして経営陣に加えて立て直しを図る。だから出資者も安心して金を出せるのである。

たとえば1998年、グーグルにいちばん初めに投資したのは、サン・マイクロシステムズの創業メンバーの一人であった、アンディ・ベクトルシャイムという男だった。グーグルの創業者で、当時スタンフォード大学の学生であったラリー・ペイジとサーゲイ・ブリンから新しいアルゴリズムによるネット検索のデモを見せられたベクトルシャイムは、「細かいことは話しているヒマがないが、とりあえず小切手を渡しておこう」と10万ドルの小切手を二人にぽんと渡した。会社設立前のグーグルの二人は、その小切手を現金化することができず、数週間ペイジの机の引き出しに眠っていたという。

ベクトルシャイムがこのとき投資した10万ドルが、グーグルが巨大化するにつれて彼にとってつもない金額のリターンをもたらしたことは言うまでもない。

投資の機会はなるべく増やせ——投資家だけが知る「リスク」の考え方

投資家的に生きるうえで必要なのが、「リスク」と「リターン」をきちんと把握することである。

成功している投資家でも、すべての投資が成功しているわけではない。私も投資を仕事にしてから、いままでずっと大きな失敗はなかったのだが、最近ひとつだけ「はずした」と見なさざるをえない案件を抱えてしまった。

しかし「失敗案件はひとつだけ」というのは、実は投資家のリスクのとりかたとしては、好ましくないといわれている。

シリコンバレーの投資家たちはリスクを回避することよりも、リスクを見込んでも投資機会を増やすことを重視する。アメリカ人の投資家に「ダメな案件はひとつだけだ」という話をすると、「それはリスクをとらなさすぎだ。もっとたくさんリスクをとりにいけ」と叱《しか》られる始末だ。

それはなぜか。投資という行為は、何よりも「分母」が大切だからだ。ひとつの案件にだけ投資するのは、カジノのルーレットで1ヵ所だけにチップを置くようなものなのだ。重要なのは、できるだけたくさん張ることなのである。

なぜ投資においては広くリスクをとらなければいけないのか。それは、メジャーリーグ（MLB）での選手の年棒の査定方法を例にして考えれば、わかりやすいかもしれない。

かつての野球選手は、エラーの少ない人ほど守備がうまい、と見なされていた。しかしエラーの数で守備のうまさを判断することには、大きな問題があった。

エラーの数で守備率を判断すると、誰でも捕れるような簡単なフライを捕球した場合でも、ライナー性の難しいヒットをエラーする危険を冒《おか》してダイビングキャッチし、間一髪アウトにした場合でも、カウントは同じ捕殺1とされる。

そのため、実際には難しい打球を捕りにいかない、消極的な選手ほど守備率が高くなる。反対に、積極的な守備をする選手はエラーの数も増えるため、守備率が低くなるということが起こる。

野球というゲームは、言うまでもなく3×9＝27のアウトをとることがチームの勝利につながる。選手が守備率を上げるために、「難しい球を捕りにいってエラーをするより、初めからヒットにしてしまったほうが、自分の成績のために良い」と考えて、消極的なプレイをすることは、本末転倒なわけである。

そこで現代の野球では、どれだけエラーしたか、という観点からではなく、どれだけ自分の守備範囲でアウトにすることに貢献したか、という観点から守備力を評価する方法が採用されるようになった。

9回までのゲームで、すべてのアウトカウント数27個のうち、その選手がいくつに関わったかを見ていくのである。この方式では、積極性が高い選手ほど、RF（アウト寄与率）が高まる。選手にとっても難しい球を捕りにいって、アウトの数を増やしたほうが、評価が高まるのである。その査定方法が普及したために、日本のプロ野球の選手も、彼らの評価を上げるためには、できる限り試合の出場回数を増やし、積極的に球を捕りにいかなければならなくなったのだ。

投資についての考え方も、これと同じだ。トータルで成績を良くしたい、と思うならば、リスクを恐れずに積極的に投資機会を持たねばならない。失敗を怖がって、確実に儲かる案件だけに投資することは、結果的に自分が得られたかもしれない大きな利益を遺失することにつながるのである。

つまり投資家として生きるのならば、人生のあらゆる局面において、「ローリスク・ローリターン」の選択肢を選んで安全策をとるより、「ハイリスク・ハイリターン」の投資機会をなるべくたくさん持つことが重要となる。

住宅ローンはリスク管理できない人のもの

前項で述べたように、投資家的な生き方をするうえでは、投資の機会はできる限り増やすのが望ましい。ただし注意すべき点がある。それは「自分で管理できる範囲でリスクをとれ」ということだ。

投資の世界に「計算管理可能なリスク」(calculated manageable risk) という言葉がある。カリキュレイトとは「計算する」、マネージは「管理する」という意味だ。つまりこの言葉は、自分で計算でき、管理できるリスクのことを指す。我々投資家がリスクをとるときは、必ずこの「計算管理可能なリスク」の範囲内で投資を行う。

人は往々にして、リスクの計算を誤る。たとえば年収400万円のサラリーマンが、家があれば老後も安心だからと、35年のローンを組んで年収の10倍以上の借金をして家を買ったとする。これは現在の日本の経済状況からいえば、非常にハイリスクな選択だ。

この場合、今後35年間、給料が上がり続け、自分も健康なままで仕事を続けているだろう、という見込みでローンを組んでいるわけである。しかし今の日本ではいつ会社が突然なくなるかは、誰にも予測ができない。万が一早い段階で働き手の自分が病に倒れることになった場合、ローンの前提は完全に崩れ去ってしまうのである。勤めていた会社が倒産したり、突然リストラにあったりしたことでローンが返せなくなり、住居を手放したうえに残った借金を返し続けるといったケースも最近よく聞くようになった。

日本では結婚して子どもができたあたりから、ローンを組んで家を買うのが当たり前のような風潮があるが、それは銀行や不動産会社などから「そう思い込まされている」だけの話だ。経営者でもない普通の人が、数千万円の借金を背負うのは家を買うときがほとんど唯一の機会である。

そうすると、それだけの借金がどれぐらいの意味を持つのか、また35年というローン期間には、どんな予測不可能な事態が待ち構えているのか、正確なリスクを計算することができなくなってしまう。銀行と不動産会社が作った35年ローンという仕組みは、そうした「リスクを正確に計算できない人々」を狙った商品であると覚えておいたほうがいい。

さらにいえば、東日本大震災を経た今でも、関東圏ではほぼ確実に、数十年以内に大規模な地震が起こるだろう、とほとんどの地質学者が予想している。家を買うときには、数千万円の借金をして買った住宅が、地震で灰燼《かいじん》と化す可能性も念頭に置いておくべきだろう。

サラリーマンはハイリスク・ローリターン

さて投資家的な観点からすると、就職して一生サラリーマンの道を選ぶ、というのも35年ローンで家を買うのと同じぐらいハイリスクな選択である。

それはかつて、日本の4大証券の一角を担った山一證券《やまいちしようけん》が突然自主廃業したときのことを例に挙げればよく理解できる。1997年11月22日の朝、山一證券に勤めていた社員は、日本経済新聞のスクープを見て初めて自社の倒産を知った者がほとんどだったという。記事を読んでも、経営陣の記者会見をテレビで見るまで、本当に自分の会社が潰れるとは信じられなかった社員がたくさんいた。

記者会見で、当時の野澤正平《のざわしようへい》社長が「社員は悪くありません……」と涙しながら述べる映像を過去のニュース特集などで見たことがある人もいるだろう。

実際、山一證券の社員のほとんどは、自分たちの会社の現状を把握できていなかった。ちょうどそのころの私は、マッキンゼーで機関投資家向け金融商品の研究をしていた。ヒアリングのために何人かの金融関係者、それもメガバンクの主流にいる行員などではなく、外資系証券会社の社員や個人投資家など、金融業界のアウトサイダー的な人々に業界動向を聞くと、「そろそろ山一が危ない」と口を揃《そろ》えて言っていたことをよく覚えている。山一證券が当時、資金調達のために発行していたコマーシャルペーパー（短期の約束手形）の引受手《ひきうけて》は、富士銀行だったのだが、その富士銀行が山一證券を見捨てる、という情報が業界の裏事情を知る人々の間で駆け巡っていたのである。

その噂どおり山一證券は自主廃業に追い込まれるわけだが、その直前まで山一證券の社員たちは、「うちの株価がこんなに下がるなんておかしい。あとで上がるだろうから買っておこう」と自社株を買っていたそうだ。

この山一證券の倒産に巻き込まれた社員をたとえるならば、自分の乗っていたジャンボジェット機が、突然墜落すると言われるようなものだろうか。機長も客室乗務員も、「この飛行機は安全に運航しております」とアナウンスしているが、実は致命的なトラブルが機体に起きている状況だ。

このまま放っておけば墜落は間違いないのに、機内は快適に空調が保たれ、何のトラブルも起こっていない。乗客は飛行機の異常に気づかないままでいるが、突然「5分後に墜落します」と告げられる。その瞬間から機内はパニックになるだろう。しかし誰にも、どうすることもできない。

しかしもしも、トラブルが起きたのが、自分の操縦する小型のセスナ機だったらどうだろうか。何かしらの機体トラブルが起こったとしても、自分で操縦しているのだから、異常にすぐ気づくことができる。危機に気づけばそれを回避するための行動をとることができるし、最悪の場合は近隣の空港や広い道路へ緊急着陸をすることも可能となる。

それが、自分でリスクを管理し、コントロールするということだ。

サラリーマンとは、ジャンボジェットの乗客のように、リスクをとっていないのではなく、実はほかの人にリスクを預けっぱなしで管理されている存在なのである。つまり、自分でリスクを管理することができない状態にあるということなのだ。

大学を出て新卒で会社に入り、定年の60歳まで働いたとすると38年間を会社で過ごすことになる。しかし近年、会社の「寿命」はどんどん短くなっている。平均すると30年ぐらいで「会社の一生」は終わるようになっている。人間の平均寿命は80歳を超える。だからこそ、ひとつの会社に自分の人生をすべて委託するのは非常に高リスクなのである。

安易なフランチャイズ加盟は危険すぎる

人生の重要な決断をするときに覚えておくべきは「リスクは分散させなくてはならない」ということと、「リスクとリターンのバランスが良い道を選べ」という2点だ。

たとえリスクが少し高くとも、それに見合ってリターンも高いのであれば、そして万が一、外した場合でも自分で責任がとれるなら、その投資は「あり」だ。つまり「ローリスク・ローリターン」よりも、「ハイリスク・ハイリターン」の件数を増やしたほうが良い、ということである。

この観点からすると、最悪なビジネスといっても過言ではないのが、コンビニエンスストアに代表されるフランチャイズに加盟することである。フランチャイズビジネスの多くがリスクを加盟店に背負わせることで、本部だけが安全に儲かる仕組みとなっているが、なかでもコンビニの経営は、「ハイリスク・ローリターン」の最たるものといえる。

フランチャイズの仕組みは、最初に多額のロイヤリティを本部に払って、商売が始まって儲かってからも、一定のパーセントの利益を本部に払い続けるというものだ。ほとんどの場合、仕入れ先を選択する自由もなく、販売価格なども拘束される。

コンビニの場合ならば自分が仕入れた弁当が売れ残ったとしても、値引き販売をすることすら基本的に許されない。本部は加盟店のひとつひとつの売り上げよりも、トータルで自分たちのチェーンがどれだけの売り上げを達成できたかに興味を持つ。だからせっかくフランチャイズでがんばってやってきたのに、数年後目と鼻の先に同じコンビニチェーンの店が出店する、といったことも起こる。

「自分で商売を始めるよりも、本部の言うとおりにやったほうが楽だから」と安易にフランチャイズビジネスを始めることの危険性は、まさにこの「リスクを背負わされること」にあるのだ。

「自分でリスクが見えて管理できる状態」とは、何らかの仮説に基づいて投資を行った後で、その仮説が間違っていると気づいたら、いつでも手仕舞いできる準備をしておく、ということである。

自分がとろうとしているリスクの大きさを、正確に見極めよ。そのリスクに責任がとれると踏んだならば、臆《おく》せずに投資せよ。それが投資家として生きる上での鉄則なのである。

バフェットの教え「投資は長期的に考えよ」

読者の方の中に、株を買ったことのある人はどれくらいいるだろうか。日本では株式投資に対して前述のように「投機」「博打《ばくち》」といったイメージが根強くあり、否定的な考え方をする人が少なくない。

ネット証券が普及して誰でも家にいながら株式の売買ができるようになり、デイトレーダーと呼ばれる株ジャンキーが数分単位の取引で利ザヤを稼ぐことが一般的となったことも、投機と投資の区別がつかなくなってしまったことの一因となったと私は考えている。

本来、真の投資家は、目先の損得を無視して、長期的なリターンを考える。だからデイトレーディングは本質的な意味では投資ではない。

そうした真の意味での投資家として、世界でもっとも成功しているのは、アメリカ人の投資家であり経営者のウォーレン・バフェットだ。

彼の投資哲学は、長期的に見て勝ち続けている会社、30年後の未来でも伸びていると予測できる会社だけに大きく投資する、という点で一貫している。そして彼は、株を買ったらいっさいいじらない。投資した企業は、もともといる経営陣にそのまま経営を続けさせる。資本を安定的に支え、きちんと高額な役員報酬を与え、経営者が安心して運営できる環境を提供する。なぜ彼は投資した会社も株もいじらないのか。それは彼が買った会社は、放っておいてもその企業価値、すなわち株価を上げていくからだ。

たとえば、彼の大きな投資先に、アメリカの「ウェルズ・ファーゴ」銀行がある。ウェルズ・ファーゴは馬車のマークの銀行として有名だ。リーマンショックのときにシティバンクをはじめ多くのアメリカの銀行がサブプライム・ローンで莫大な損失を負ったときも、ウェルズ・ファーゴはほとんど無傷ですみ、いまもなお、ほぼ唯一、アメリカでまともな銀行として機能している。しかしそのウェルズ・ファーゴも、かつては西海岸にある地方銀行のひとつにすぎなかった。

しかしバフェットは、そのマネジメントメンバーの優秀さを見て、迷わず投資することに決める。その経緯は、『ビジョナリー・カンパニー　時代を超える生存の原則』(日経BP社)というケーススタディの本に詳しいが、彼はこの会社が全米を席巻《せっけん》するだろうと確信していた。

結果的に金融危機が起こったことで、バフェットの予測が正しかったことは証明され、ウェルズ・ファーゴは現在もアメリカ金融界で非常に盤石《ばんじゃく》な会社として認知されている。

ほかにも、彼の投資先で有名な企業には、ジレットやコカ・コーラなどアメリカを代表する企業がある。いずれも彼はまだそれらの企業が現在のようなグローバルブランドとなる前に投資を行い、企業の規模拡大とともに彼の資産を増やしていった。

商品やブランドに熱狂的なファンがいて、顧客が簡単にいなくならない企業を選ぶのが、バフェットの投資哲学だ。良い商品を恒常的に生み出す企業が時間をかけて規模を広げ、世界中に市場を拡大していくことが、イコール彼の資産を増やすことに直結したのである。

バフェットから学べることで何より大切なのは、「短期的な儲けではなく、長期的な視点で意味のあることに投資せよ」ということである。また同時に「人を見て投資せよ」という投資の鉄則もバフェットから学ぶことができるだろう。信者を急激に拡大した結果、顧客のレベルがどんどん落ちていき、同時に、創業者の個人的な暴走が止められなくなり、自滅する企業とは好対照である。

★ローリスクより、リスクがとれる範囲のハイリスク・ハイリターンの選択肢をたくさん選べ。

★サラリーマンとは知らないうちにリスクを他人に丸投げするハイリスクな生き方。リスクは自分自身でコントロールせよ！

★投資は、長期的な視点で富を生み出し続けるか、人が信頼できるか、の2点で判断する。

日経新聞を信じるな！

日本には、バフェットのような、世界経済に影響を与えるレベルの投資家はいない。「日本のバフェット」とか、「日本のピーター・リンチ」などと一部で呼ばれる投資家もいるが、実際のところは彼らの足元にも及ばないというのが現実だ。

しかしそれでも驚異的な実績を上げる日本人も出てきている。

数年前、まだ国が納税額による長者番付を発表していたときに、「一介のサラリーマンが100億円の年俸をもらっている」と週刊誌などで話題になった。その人は、T投資顧問という会社の運用部長を務める、Kという人物だ。

所得税額は約37億円で、2004年の高額納税番付でサラリーマンとして初の1位に輝き、スーパーサラリーマンとしてさまざまなメディアに取り上げられた。

しかし、それにはカラクリがある。彼はT投資顧問という会社の運用部長という、サラリーマンの立場に身を置いているが、実質的には同社のオーナーなのである。ヘッジファンドというビジネスは運用益によって100億円ぐらいの利益が出ることが珍しくない。ここでポイントになるのは、役員にボーナスを出すと、個人の所得税とは別に法人税として、莫大な税金がかかり、半分ほど国に持っていかれてしまうことだ。そこでK氏は、オーナーである自分を「運用部長」という役職の一従業員であるとして、その自分に賞与という形で渡すことで節税対策を行ったのである。

どこの世界に自分の会社の営業部長に、自分の報酬よりもずっと高い100億円もの給料を払う経営者がいるだろうか。自分自身が経営者であり、株主だから、それだけ高額の報酬を得ることが可能となったのだ。

当時この事実を報道したメディアは私が知る限り一社もない。おそらくメディア関係者は誰一人としてこうした仕組みに気づかなかったのだろうと思われる。いや、実は気がついていた記者もいただろう。しかし、彼らは「サラリーマンでも高報酬」というストーリーのほうが読者にウケが良いだろうと勝手に判断して、見て見ぬフリをしたと考えたほうが現実に近いかもしれない。

ここで私がお伝えしたいことは、「メディアの情報をそのまま信用するな」ということだ。日本でもっとも信頼されている経済情報源といえば、日本経済新聞であることは間違いない。だが、日経の記事を鵜呑《うの》みにすることは投資家としてもっともやってはいけないことである。

会社に入ると新入社員は先輩から「日経ぐらいは読んでおかないと恥ずかしい」などと説教をされることがあるようだが、私から言わせれば、日経の記事をそのまま信じるほうがよっぽど恥ずかしい。これは私だけがそう言っているのではなく、外資系の投資銀行の第一線で働く40代のバンカーもよく「日経の記事はまったく金融が分かっていない奴が書いている」と言っているのである。

かといって新聞を読むな、と言っているわけではない。投資家の情報源のひとつとして日経を読むのは必須だが、そこに書いてあることをそのまま信じるな、ということなのである。世の中の人々が、話題となっている会社や商品、サービス、世の中のトレンドについてどう思っているのか。社会経済全般の動向を知るために日経を読むことは不可欠なことだ。だがそこでほかの人々と同じように考えてはいけない。

投資家的に生きるために絶対に必要なのは、前述のスーパーサラリーマンのカラクリのような「真実」に気づく「ニュースの裏を読む力」である。新聞などで何かしらの情報を見たときに、「この会社はこれから伸びそうだな」と感じたら、自分と同じことを考える人間が世の中に数万人から数十万人はいると思ったほうがいい。その時点で、すでにあなたの考えは「コモディティ」になっているのである。

基本的に新聞には、誰かが「アナウンスしてほしい情報」だけが載っている。新聞やテレビで公開された情報は、誰か声の大きな人間が、世間を自らの望む方向に誘導するために流している情報だと考えるべきなのだ。真に価値のある情報というのは、みんなが知った瞬間に、その価値がなくなってしまう。つまり、本当に儲け話につながる話は、いっさい新聞には載っていないのである。

ここ最近では、東日本大震災による福島第一原発事故後の日本のエネルギー問題の議論で、ソフトバンクの孫正義社長が新聞紙面を賑《にぎ》わせている。これも「ニュースの裏を読む」「誰かがアナウンスして欲しい情報だけが載っている」ことを考えて読むと、別の意味合いが見えてくるかもしれない。

公開株に投資するのは「カモネギ」

それでは、一般の人が株式投資をやるのは良いことなのだろうか。

私はまず、基本的に一般投資家が株式投資で確実に儲けることはほぼ不可能だと考えている。日本の株式市場は、制度上も構造的にも、素人が参加する場合、博打《ばくち》的な要素が強い。まっとうな方法で投資して、儲けるのはとても難しい。そのため「まっとうでない方法」、つまり株価の操縦などを行って捕まる人々がたまに出てくる。

なぜ素人は儲けられないのか。それはファンドなどの機関投資家が、個人投資家を「カモろう」と常に手ぐすねひいて待ち構えているからだ。

機関投資家と個人投資家では、得られる情報の速度と深度がまったく違う。建て前上は、上場企業はIRレポートなどによって投資に必要な情報を誰でも見られるように公開することになっている。しかしその株を扱う証券会社は、機関投資家向けの説明と一般投資家に向けての説明を、微妙に変えているのである。もちろん露骨に変えては問題となるので関係者にしか分からないような表現だが、機関投資家はみなその微妙なニュアンスを読み解き、素人と逆張《ぎゃくば》りをすることで儲けているのである。

というわけで株式市場では、素人から金を巻き上げるのがあまりにも簡単で、かつ儲かるので、そのビジネスに邁進《まいしん》している人々がたくさんいる。こうした状況は別に日本だけのことではなく、アメリカでも市場全体で見ると、機関投資家（ファンド）の儲けている金額と、個人投資家が負けている金額が釣り合っており、個人投資家が損したお金でファンドや投資信託などが儲けている構図が実はある。

それでも株式投資を一度やってみることは、資本主義を勉強するうえではとても良い経験となるだろう。だから、自分が「葱《ねぎ》を背負ったカモ」であることを覚悟したうえでトライしてみることは構わない。投資に失敗する経験をすると、いかに世間の評判と現実の株価の値動きが違うか、身をもって感じることができる。一度失敗したら、自分のどんな思い込みがミスを招いたか、反省の材料を得ることもできる。よくいわれる「失敗は成功のもと」という言葉は、投資の世界でも真実なのである。

世の中の動向のトレンドとサイクルを見極めよ

ここでは投資家としての「世の中の見方」について説明したい。

投資の世界ではよく「トレンド」と「サイクル」という言葉が使われる。

株式投資のチャートを見ていると、大きく分類して株価には2種類の動きがあることが分かる。ひとつは、一定方向にずっと続いていく動き。あとひとつは、上下に波打つ動きである。この一定方向の動きを「トレンド」と呼び、波打つ動きを「サイクル」と金融の世界では呼ぶ。

トレンドとは、長期的な視点で、一定方向に世の中が変化していくことを指すときにも使われる。たとえば、「ウィンドウズ95の発売」や「2000年以降の日本のブロードバンド網の普及」「2011年の地上アナログテレビの終焉」といった社会に大きなインパクトをもたらす事象によって、世の中が「不可逆的に」どう変わっていくか。それを予測するのがトレンドの視点である。

それに対して「サイクル」とは、より短期的な、「繰り返す」変化のことを呼ぶ。ある株が本来の価格よりも安くなっていた場合、時間が経てば必ず値段は上がり、本来の価格へと戻っていく。政治家やタレントの評判や、流行のファッションや、話題のデザートなど、世の中の事象の多くも短い期間で変化している。あるときには細身のスーツが流行し、やがてそれがはやらなくなり、何年か経つとまた細身のスーツが人気となる。それがサイクルだ。

トレンドは一度起こったら元には戻らず、そこで起こった変化が常態となる。その反対にサイクルは時とともに変化が循環し、再び以前と同じような状態に落ちついていく。

ある出来事が、サイクルなのか、トレンドなのか、これから世の中にどのような影響を及ぼしていくのか。それを見分けるための感度を磨くために私がオススメする方法は、2年前の日経新聞や日経ビジネス、週刊ダイヤモンドなどの経済紙・経済情報誌をしばらく読んでみることだ。あるとき日経新聞が「注目企業」として取り上げていた企業が、数年後、日経ビジネスの「敗軍の将、兵を語る」という人気連載に取り上げられているのを、これまで何度も見てきた。

一時期は大儲けして急激に社員を増やし人気の企業となったのに、あるときを境に急激に事業が縮小していき、最終的に倒産や民事再生という事態に陥る。そうした企業のほとんどが、時代のトレンドとサイクルを見誤った事業戦略を立てているのである。

反対に時代のトレンドを正確に読んだことで、大成功を収めた企業も少なくない。近年では世の中のブロードバンド化の波をトレンドと読んだ、ソフトバンクの戦略が成功例に挙げられるだろう。

2003年、ソフトバンクの孫正義社長は、今後ＡＤＳＬ（電話線を使い高速データ通信を行う技術）によるインターネットのブロードバンド通信が日本で急速に普及すると予測し、自社のヤフーＢＢサービスで市場のシェアを握ることを決意する。そのために彼が行ったのが「モデムのばらまき」と非難を浴びることにもなる手法だった。街中でヤフーＢＢのジャンパーを着たアルバイトの男女が、道行く人々にほとんど無作為にモデムを手渡し、ヤフーＢＢへの加入を促したのである。この強引すぎるともいえる手法のおかげで、ヤフーＢＢのシェアは急激に伸び、スタートしてから3年で加入者は４００万人を超える結果となり、ヤフーはインターネットの接続業者（プロバイダー）として、ＮＴＴを脅かす存在となったのである。

世の中の動きを見るときには、サイクルなのかトレンドなのか、それを正確に判断することが重要となる。ある事象について、サイクルだとみなが思うときに、「これはトレンドだ」と仮説を立てて、そのとおりに行動したとする。その仮説が正しければ、世の中の人の逆を突くわけだから、大きく儲けられるチャンスとなる。しかしその仮説が間違っていた場合は最悪だ。自分が投じた金銭や時間がすべて無駄になるばかりか、借金をしていた場合は利子が加算されて負債となる。

だから投資においては、ある事象がサイクルかトレンドのどちらであったとしても最悪の事態とはならないように、複数のシナリオにかけなくてはならない。

「現時点の少数意見」が正しければ必ず儲かる

資本主義では、「自分の少数意見が将来、多数意見になれば報酬を得られる」という仕組みになっている。

たとえば凋落が叫ばれる出版業界について、多くの人々が「もう紙の本は終わりだ。将来的には本はすべて電子書籍になる」という意見を持っていたとする。そのときに「いや、紙の本にも別の生きる道がある。みなが電子化するならば自分たちはあえて紙の本にこだわる」という選択をして、事業を新たに始めたとする。その少数意見が正しければ、将来儲けることができる。反対に、その意見がやはり間違っていた場合は、儲けることができずに事業は継続できなくなる。このように資本主義はきわめてフェアな仕組みだといえる。

投資ではよく「市場の歪《ゆが》み」を見つけることが重要だといわれる。「歪み」とは、本来であればもっと高い値段がついていいはずの商品が不当に安く値付けされていたり、もっと多くの人が買ってもいいはずなのに誰もまだその商品に気づいていない、といった状態を指す。つまりその「歪み」を正すことが、社会にメリットをもたらし、自分には財を運んでくれるのである。

それではどうすればその「歪み」に気づき、正すことができるのだろうか。

もっとも大切なのは、人々と違う「インプット」を得ることだ。人間の行動（アウトプット）は、インプットの結果である。だから行動を変えようと思うならば、インプットを変えなければならない。

新聞に載っている情報を信じて投資したら損をするというのも、みなと同じインプットをもとに行動するからだ。公開企業は、法律で経営に関する情報の開示が義務づけられている。だから新聞に代表されるオープンな情報を知ってから投資したところで、実は儲けようがない。

それは裏を返せば、「みんなの知らない情報をもとに投資すれば絶対に儲かる」ということである。しかしそれは、インサイダー取引として法的に厳しく禁止されている。では、どうすればいいのか。

答えは簡単だ。「株式投資ではない形で、インサイダー取引をすればいい」のである。その場合は100％合法だ。公開株式に株式投資するのではなく、自分の知識や労働力や人脈を投資して、インサイダー取引をすればいいのである。

「投資」とは、お金を投資することだと一般的に思われているが、本質的な「投資」とは、自分の労働力や時間、人間関係を投資することでもあるのだ。

生産性革命の時代ならば、株式会社の資産とは金を出せば購入できる工場や機械などの設備だった。しかし現在の産業は、設備や機械があれば成り立つような単純なものではなくなっている。たえずイノベーションを生み出すことができる知性や、まったく異なる属性のものを結びつけてオリジナルなモノを作り出す発想力を持った人材そのものが資産となっているのである。

だから「この会社は将来伸びるに違いない」と思ったならば、自分の持っている人脈や知識、スキルなどの「人的資産」を投資すればいい。いちばん単純な投資方法は、その会社の社員になることだ。だがその場合も、ただの「一社員」になるのではなく、経営層の一員となるか、株式を所有するといった形で、会社が大きくなったときにそれに応じて自分もリターンを得られるようにすることが重要だ。

身の回りのインサイダー情報にかけろ

「株式投資ではないインサイダー取引は、１００％違法ではない」と述べたが、それをより具体的にいうと、「公開・非公開は問わず、この会社は伸びると確信したら、株式以外の投資をすればいい」ということである。株式を上場している公開企業には、投資家に向けて情報を公開する義務がある。また会社の機密情報を知りうる立場の者には守秘義務が課せられ、そこで知りえた情報をもとに株式投資をした場合、インサイダー取引と見なされ、有罪となれば刑事罰が科される。

しかしたとえば、「このお客さんは必ず伸びるから今のうちに重点的に訪問してパイプを作っておこう」というのはインサイダー取引ではない。つまり相手が上場企業であっても、株式投資以外の方法で投資するのであれば、何の問題もないのである。

これから生き残っていくのは、個人も会社も、そうした「投資」をきちんと行っていけるかどうかにかかっている。先行きが見えにくい時代だからこそ、ある時点でのひとつの投資活動が、その後の自分の未来を大きく変えるのである。

これまでの企業の例を見ても、そうした金銭以外の投資が会社を飛躍的に成長させた事例は枚挙に暇《いとま》がない。

たとえば、コンピュータ業界でいえば、ヒューレット・パッカードがいい例だ。それまでアメリカのコンピュータ市場を握っていたＩＢＭは「大企業しか相手にしない」というスタンスで殿様商売をしていた。

そこでヒューレット・パッカードはＩＢＭが相手にしない、中小企業や個人商店、ベンチャー企業に商機を見出した。そうした会社が将来的に大きくなれば事業拡大に伴いサーバーをどんどん入れるはずであり、最初から入り込んでおけば、自社も大きな果実を手に入れられると考えたのである。そうして彼らは新興のＩＴ企業に営業の大攻勢をかけていった。

数年後、それらの新興ＩＴ企業の中からは、アマゾンやイートレードなど全米を席巻する会社が現れる。その時点になってようやくＩＢＭは営業をかけたが、ヒューレット・パッカードの牙城を崩すことはもはやできなかった。

ヒューレット・パッカードにはこのような成功体験があるので、ベンチャー企業向けに「ガレージ」というサービス商品を準備していた。それは「ヒューレット・パッカードもガレージから始まった会社であり、同じようなベンチャーを応援する」というコンセプトで始まったサービスだ。サーバーを安くリースする代わりに、将来成長して大きくなったときにはヒューレット・パッカードから製品を買う、という契約を結んでもらうのである。

ヒューレット・パッカードは、あえて大手企業とのビジネスを捨てる、というリスクを背負うことで、後にリターンが返ってくる道を選んだわけである。

未来を見よ、苦境にある人にこそ投資せよ

同じような例に、日本でも零細な会社同士がお互いを見込んで大きくビジネスを伸ばしていったケースがある。

現在では物流の最大手企業となった某社では、その荷物に付属する伝票などの印刷を、すべて系列の印刷会社に発注している。毎日何十万件という小荷物を扱うため、印刷の件数も膨大だ。

その印刷会社はもともと、京都にある町の、小さな印刷屋だった。数十年前、物流会社がまだ数台のトラックしか持っていなかった時代に、あるきっかけで取引をすることになった。

たまたま京都に立ち寄っていた物流会社の社長が名刺を切らしてしまい、その町の印刷屋に立ち寄って、「今すぐ名刺を作ってくれ」と無茶な注文をしたところ、嫌な顔ひとつせず、希望どおりの名刺を印刷してくれた。そのときの対応が社長にすごく気に入られ、それ以来、その印刷会社はすべての印刷物を頼まれるようになったのである。そして物流会社がぐんぐん業績を伸ばしていくのに歩調を合わせて、その零細印刷会社も次々に業容を拡大していき、現在

では2000人近い従業員を雇うようになった。

ここで私が言いたいことは、「ビジネスをする相手を、現時点の世間の評価だけで判断するな」ということである。

もしその印刷会社の社長が、無名の会社の無茶な名刺の印刷を頼まれた際に「時間がなくて無理です」と断っていたら、現在の発展はなかった。同じようにあなたが今日の営業先として向かうベンチャー企業が、もしかすると3年後には上場しているかもしれない。その逆に、無理難題を言ってくる大手クライアントが、来年には倒産しているかもしれない。未来を予測しながら、その未来に自分自身が関わっていくことが投資家的に生きる道なのだ。

私自身も、ここで述べてきたような経験をたくさんしてきた。

ビジネスパートナーだった仲間が失敗したときや、見通しを誤って会社じゅうから顰蹙《ひんしゅく》を買ったとき、多くの人は「触らぬ神にたたりなし」と連絡を取らなくなる。しかし私はそういう苦境にある人にこそ投資をすべきだと考えている。実際に私はそうしてきて、多くの実りを得ることができた。

ある会社や、ある個人が、みんなから悪口を言われて、たいへん厳しい状況にあるとき。そんなときこそ、投資を検討するまたとない機会だ。なぜならば、人は苦境に苦しんでいるときに応援してくれた人のことを、けっして忘れないものだからだ。

ここまでに手に入れた「武器」

★日経新聞を読んでもけっして鵜呑みにするな。

★機関投資家は個人投資家をカモにしている。

株式投資は「損して学ぶ」つもりで挑め。

★トレンドとサイクルを見極めることができればリターンが得られる。

★人を今の評価で判断しない！

第9章　ゲリラ戦のはじまり

投資家は新たな産業を作り出し世の中を変える

第1章でも書いたように、私は京大の学生たちに非常に実戦的な「起業論」を指導している。机上《きじょう》の理論を教えるのではなく、学生の中から現実に、将来の日本経済の一翼を担えるような起業家を輩出することが目標だ。

その授業の一環として2010年、インテルとUCバークレーが共催するアイビーテック（IBTEC）という全世界規模の学生向けビジネスプランコンテストに、京大と同志社の学生8名を率い初めて出場した。

2010年度で6回目となるこのコンテストには、世界60ヵ国の予選を勝ち抜いた27のチームがカリフォルニア大学バークレー校に集まり、それぞれが考え抜いたビジネスプランを発表した。

日本でも最近、この種の学生向けビジネスプランコンテストが実施されているが、それとはレベルがまったく違う。参加するチームは世界トップレベルの大学から、予選を含めると100以上を数える。コンテストを審査するのは、有望な投資先を探す投資家たち。優勝チームには200万円ほどの賞金が出るが、それ以上にこの場で投資家の目にとまれば、数億円の出資を受けられる可能性がある。そのため各国のチームの「本気度」は非常に高い。日本代表の我々以外はほとんどがすでに会社を立ち上げていて、優勝できたらすぐにでも事業化できる態勢を整えているチームばかりだ。

私が２０１０年に率いた京大・同志社チームはそこで初参加ながら、日本の大学で初めて決勝ラウンドの８チームに残ることができた（一緒に参加した東大チームは準決勝で敗退した）。その体験をお伝えすることは、これからの世界で生き残るための「武器」を考えるうえで、多くの示唆を与えてくれることになるはずだ。

まずは我々がそこで発表したビジネスプランがどんなものだったのか、プレゼンの模様を紹介しよう（実際のプレゼンは英語で行った）。

世界でもっとも貴重となりつつあり、私たちが生きるうえで欠かせない資源はなんでしょうか。石油でも、天然ガスでも、希少金属（レアメタル）でもありません。

それは「水」です。

海水や河川、大気中の雲や地下水など、地球上のすべての水資源のうち、淡水はわずか２・５

%しか存在しません。残りはほぼすべて、海水です。

さらに淡水のうち、人間が飲料や農業に使えるレベルできれいな水は、全体の０・０１%しかありません。そのためこの貴重な資源である水を巡って、近年では国同士の戦争すら起こっています。しかもその水資源は、環境汚染や干ばつによって、年々どんどん少なくなっています。

現在の地球上では、アフリカやアジアなどの地域で12億人が水不足に苦しんでいます。しかし２０２５年には、南北アメリカ大陸やヨーロッパ地域を含めて、25億人が水不足となることが確実視されています。地下水など採掘できる水にも限界があり、これ以上新たに水源を開発するのも不可能な状態です。

つまり人類が未来にわたって、生きていくために必要不可欠な水を手に入れるためには、97・5%の海水を淡水化するしか方法がないのです。


それでは、海水を淡水化するにはどうすればいいでしょうか。

１つ目は、沸騰させて蒸留する、という方法があります。この方式のプラントは現在、サウジアラビアなどの燃料コストが低く、気温が高い地域で稼働しています。しかし水の蒸留には多くのエネルギーを必要とします。しかも化石燃料を使うことで大量のCO_2が発生しますので、将来にわたって人類の未来を支える本命の技術とはなりえません。

2つ目の、本命となるであろう技術がフィルタリング（濾過《ろか》）です。水を濾過することで塩分を取り除くには、塩化ナトリウム分子を通さないほど小さな網目の細かさが必要となります。現在、海水を濾過するプラントに使われている方法の主流は、高分子素材のポリマーを使う技術です。

ポリマーは網目の細かさ、という点では合格ですが、問題があります。素材が丈夫でないため、何度か使ううちに交換や掃除をするコストがかかるのです。また高い圧力で水を押し出さねばならないため、そのエネルギーコストも大きなものになります。

ポリマー以外にセラミックを素材とするフィルターもあります。こちらは丈夫なため繰り返し使えますが、穴が十分に小さくできず、構造を複雑にする必要があり、そのコストが高くつきます。

ポリマーもセラミックも、世界規模の水不足を解決するには問題があります。

そこで私たちは、まったく新しい水の濾過技術を考案しました。

それは、金属の板に微細な穴を開けてフィルターとする技術です。

この金属フィルターが生まれたきっかけは、まったく別の2つの技術の組み合わせでした。まず金属板を酸化させることで、数十ミクロンの小さなくぼみを作ることに成功しました。同時期に別の研究室で、金属に開いた穴を数ミクロンに小さくする技術を開発しました。私たちはこの2つを組み合わせることで、眼に見えないほど小さな穴をたくさん金属板に開けて、従来の約半分のコストで海水を淡水化できるフィルターを開発したのです。

金属板はポリマーと違い劣化しませんので、長期にわたって交換する必要がありません。セラミックフィルターより構造が簡単なので大量生産が可能となり、生産コストも抑えられます。水にかける圧力も従来より30％少なくて済みますので、電気代が大幅に削減できます。

スペインで現在稼働する水処理のプラントにこの技術を導入したと仮定すると、試算の結果、10年間で約200億円のコストがカットできると予測できました。

2013年には水処理の市場は全世界で1兆円になると予想されています。まず電気代が高くマーケットが大きなアメリカ、ヨーロッパでこの技術を売っていきたいと考えています。

水不足に悩む人々は将来25億人。しかし今のままの技術で供給できるのは6億人分しかないと予測されています。

水不足をなくすことは、世界から戦争の原因をなくすことでもあります。アフリカ、ヨーロッパ、アジア、それぞれの世界を生きる子どもたちに、未来にわたってきれいな水を十分使える社会を実現するために、この技術を広く世界に普及させていきたい。

私たちの提案に、ぜひご協力をお願いいたします。

スピーチが終わった途端《とたん》、会場は割れんばかりの拍手に包まれた。多くの聴衆の感動を呼んだ、素晴らしいプレゼンであった。スピーチを担当した帰国子女の女性は幼いころフランスで暮らし、後にケンブリッジに留学していたこともあり、フランス語訛《なま》りの非常に上品な英語をネイティブ並みに話すことができたのだ。

私たちは優勝もあり得ると期待した。しかし技術的な側面を担当する学生がそれほど英語に堪能《たんのう》ではなく、質問にうまく答えられなかったこともあって、残念ながらトップにはなれなかった。

優勝したのはドミニカ共和国のチームだった。彼らは天然ガスを圧縮して液化するコンプレッサーという装置に改良を加えることで、現在流通する製品よりも圧倒的に効率を高める技術を開発していた。天然ガスの業界は歴史が古く、そこで使われている技術も「枯れた」ものが多い。彼らはそこに目をつけ、最先端の技術を導入することでコストを大幅に下げることが可能であることをプレゼンした。

そのチームのメンバーは表向き、ドミニカ共和国の学生チームということになっていたが、実際には全員がアメリカの最難関大学であるマサチューセッツ工科大学の博士課程にいる学生だった。しかもチームの一員には、コンプレッサー市場で世界シェア3位の会社の社長を引き入れており、即ビジネス化できる態勢を構築していた。

このビジネスプランコンテストのレベルの高さがこれで分かってもらえるだろうか。世界の若い起業家たちは、このレベルで日々、研鑽《けんさん》を積んでいるのである。

イノベーションと武器としての英語の重要性

私がここで言いたいことは2つある。

1つは「今ある技術を組み合わせることで、世界を変えるイノベーションを生み出すことがいくらでもできる」ということだ。第6章で「イノベーションは組み合わせによって生まれる」と述べた。我々のチームが生み出したこの海水淡水化技術も、2つのまったく別の技術を組み合わせたものだった。金属にくぼみを穿《うが》つ、その穴を小さくする、この2つを組み合わせることでどんなことが可能になるのか、考えに考え抜いた結果、海水の淡水化というアイディアに辿《たど》りついたのだ。

イノベーションは科学や技術を専門とする理系の人間だけの仕事ではない。現在、そして未来の人々がどんなことに困ると予想されるか。どんなことが可能になったらより幸せになれるか。今まだ顕在化していないニーズを見つけて実現するのは、まさしく私がこれまで述べてきたマーケターやイノベーターやリーダー、そして投資家の仕事にほかならない。

人類が生み出してきたこれまでの叡智《えいち》をさまざまな角度で組み合わせ、資本を投入し、イノベーションを実現することで、人々の生活をより豊かに幸福にすることができる。投資家という仕事のもっとも重要な価値がここにあると私は考えている。

もうひとつは、このビジネスプランコンテストにおいてプレゼンが英語で行われ、そのスキルが審査結果に影響を与えたことからも分かるように、これからの世界を生きる人々にとって、世界共通言語である「英語」は必要不可欠のスキルになるということだ。私は本書の前段で

「英語の勉強をしても幸せになれない」と述べたが、それは正確には「英語のスキル単体では売り物にならない」という意味である。

売りになるスキルや知識のない人が英語を勉強してもそれほどの価値は産まないが、技術者や起業家のような「売る物」がある人は、英語ができないと非常に損をするのである。インターネットで世界がリアルタイムでつながった現在、マーケットの大きさを決めるのは国境ではなく「言語」だ。日本語だけでビジネスした場合、1億3000万人の市場しかないが、英語を話す人々の市場はその何十倍にもなる。

世界の市場がひとつになった現在では、新しい技術やサービスのアイディアを生み出し、実現に向けて行動し、それを世界に向けて売っていくことができる人の価値が非常に高まっていく。自分のスキルと英語によるコミュニケーションを組み合わせることで自分の価値を何倍にも高めることができるのだ。

日本以外のアジアの国々の若者たちは、とっくの昔にそのことに気づいている。

日中韓の3つの国の学生団体の主催で、それぞれの国から一人ずつ学生が出場して3人のチームを作り、1週間で新しいビジネスプランを考えて発表する「OVAL」というコンテストが毎年行われている。プレゼンする言語は英語と決まっているため、それに参加する日本の学生の多くは「そこそこ自分は英語ができる」と思っている。

しかし実際に行ってみると、同じチームの韓国人、中国人はともに自分と同じノンネイティブにもかかわらず、ペラペラに英語を話せる。まったく太刀《たち》打ちができない。それで打ちのめされて帰ってくる、というのがお約束になっているのである。

私自身の経験でいえば、マッキンゼー時代に「使える英語」の必要性を痛感した。当時は上司も一緒のチームの同僚もほぼ外国人。クライアントもドイツの多国籍企業で、みなノンネイティブだが、共通言語が英語だった。そのため仕事における普段のコミュニケーションはすべて英語である。

面白かったのは、インテル出身のカタカナ英語をしゃべる日本人がメンバーの中でもっとも英語が下手だったのに、話すことの中身がきちんとあって、非常に論理的だったことから、常に議論をリードしていたことだ。

日本人で「英語ができる」というと、ネイティブに近い流暢《りゅうちょう》な発音で話せる人が思い浮かぶ。しかしビジネスの現場では、発音などは大した問題ではない。共通言語としての英語できちんと自分の意思や知識を伝えられることが重要なのだ。

なぜならば、世界の英語話者の比率を考えれば、ネイティブよりノンネイティブのほうが圧倒的に多いからだ。きれいな英語を話せることより、さまざまな国のひどい訛《なま》りが混ざった英語を聞き取れることのほうが、グローバルビジネスにおいてはずっと役立つのである。

繰り返しとなるが、「売り物がある人」は必ず「武器」として英語を身につけるべきだ。まだ「売り」がない人は、英語の勉強をやる前に「自分の商品価値」を作ることが何より大切なのである。

投資家的な労働、サラリーマン的な労働

投資家的な考え方をすると、働き方の意識がまったく変わってくる。

サラリーマンは基本的に時間で雇われている。そのため同じ業務をやるにしても、少しでも長く働くことで残業代を稼ごうとしたり、ちょっとでも楽をして給料を得ようと画策する人は少なくない。

だが自分がその会社を所有する投資家だとしたら、そうした行為は自分が得られる利益を減らすだけで、何のメリットもない。ベンチャー企業が自社の社員にストックオプションという

形で株式を渡すのは、株主と労働者の利害関係を一致させるためなのである（英語ではこれを「alignment of interests」と呼ぶ）。

株主からすると、社員にストックオプションを渡すということは、自社の所有権の一部を渡すことにほかならない。しかしあえてそうすることで「私の利益に適《かな》う行動をとれば、あなたも儲けることができる」というメッセージを社員に伝えることができ、モチベーションを高めることが可能となるのだ。つまり株式会社では、そこに働く社員も、株主の代理人として活動したほうが結局は儲かるのである。

古典的なマルクス経済学では、労働者と資本家を対立する構造として捉えていた。その対立構造の中で働くのであれば、社員にとってはいかに楽して仕事をサボり、少ない労働量で多くの給料を得るかが重要となり、反対に資本家にとっては、いかに少ない給料で社員をたくさん働かせるかが重要となる。

しかし現在の高度に発展した資本主義社会では、そうした単純な対立構造で企業を経営することはできなくなっている。なぜならば、そうしたモチベーションの低いサボる社員を使い続けている企業は、サービスが低下し、商品のイノベーションも生み出せず、淘汰されていくことが間違いないからだ。さらに終身雇用が崩れ、転職が当たり前となった現在では、安い報酬で社員をこき使う会社は、従業員をつなぎとめておくことができない。

だからもしあなたが「会社から搾取されている」と感じていて、その搾取が客観的に見てもひどいものであったなら、あなたは必ず今よりも良い給料を得る会社に転職ができるはずなのである。なぜならば、あなたの労働が現実に株主に多くの利益をもたらしているのであれば、同業他社の株主もまたあなたという労働力を欲しがるに違いないからだ。


就職や転職するときには、どんな会社を選ぶべきか、投資家的に考えることが大切だ。しかしその際、重要な注意点がひとつある。

それは、あなたが「この会社は将来必ず大きくなる」とトレンドを読んで入社したとしても、自分が一従業員として安い給料で雇われている限りは、意味がないということだ。

「この会社は伸びる」という読みに自分をかけるのであれば、その会社に株主として参加するとか、利益と連動するボーナスをもらうなりして、業績連動型のポジションに身を置かなければ、リスクをとった意味がないのである。

自分の労働力と時間という投資に対して、リターンを得られるポジションに身を置くことがお金を投資するのと同じ重みの行為となるのである。そして、その自分の書いたシナリオが正しければ、リスクに見合ってリターンを得られるのである。これがまさに投資家的に働く、ということなのだ。

といっても、大学を出たばかりの新入社員や、20代の若手サラリーマンがそうした業績連動型のポジションにいきなり身を置くことは、なかなか難しいだろう。現実的には、すでにヒエラルキーができあがった大手企業よりも、ベンチャー企業のほうがそうした業績連動型の働き方ができるチャンスはたくさんある。

２０００年ごろの「ＩＴバブル」の時代には、ＩＴ企業に勤めている、ストックオプションで株をもらっていた入社1〜2年の社員が、その会社がＩＰＯ＝上場することによって、数百万円から数千万円の報酬を手にすることもあった。今ではそうした景気の良い話はとんと聞かなくなったが、かといってチャンスがなくなったわけではない。

もしあなたが小売店に勤める一介の店員だったとしても、時給で働くのではなく、売り上げに応じて報酬を得られる形にできないか店長と交渉することで、投資家的に働くことができる。一人の労働力としてではなく、投資家として働けば、その店に足りないものが何なのか、どうすればもっとお客さんが来店してくれるのか、客単価を高めるにはどうすれば良いのか、さまざまな発想がわき上がってくる。そうして「自分の頭で考える」ことが、投資家的に生きることの第一歩となるのだ。

「現実の厳しい小売業界で、一店員にそんな業績連動の報酬制度など与えられるわけがない」と思う人もいるだろう。ところがこの仕組みを取り入れ、大きく業績を伸ばした小売業が実在するのである。

アメリカでもっとも大きな高級デパートの「ノードストローム」は、「自分の店で買ったものではない商品の返品も受け付けた」「ホームレス風の女性がやってきても笑顔でドレスを試着させた」などの数々の伝説で知られる企業だ。

そのノードストロームのサービスを支えるのが、従業員に1時間あたりの売り上げランキングによってボーナスを与える「SPH」という制度である。この制度があることで、ノードストロームの店員にとっては、自らが担当するフロアの売り上げが高まることが、自分の得られる報酬が上がることと直結する。そのため彼らは少しでも売り上げが上がるように懸命に努力し、その結果ノードストロームは「全米でもっとも顧客満足度の高い小売業」という評価を得るようになったのだ。

投資家は「調べる一手間」を惜しまない

本書の中でFX取引などにハマってしまう人は「自分の頭で考えることをしていない」と述べたが、世の中の多くの〝残念な人〟は、「自分で調べる一手間」をかけようとしない。しかし投資家として生きるのであれば、あらゆることについて自分で調べてみて、考えて結論を出すことが必要となる。

たとえばある企業について、「3年連続で業績を伸ばしています」というグラフを見せられて投資を求められたとしたら、5年間、10年間のグラフで見た場合は売り上げがどう変化しているのか調べてみる。ある場所の不動産を所有しようかどうか迷ったら、地震のリスクを見極めるために、国土地理院のサイトでそこの地域の活断層がどういう状態かを調べてみる。

アメリカではCIAなど国際諜報《ちょうほう》分野における情報の分析を「インテリジェンス」と呼ぶが、インテリジェンスの90％以上はこうした誰でも調べることができるオープンな情報から得られるのである。

私自身の投資経験でも、この調べる一手間が大きな利益をもたらしてくれたことがたびたびある。

数年前に、あるゲーム会社の人気ソフトでバグが発見されたことが話題となって、株価がそれに連動して下がったことがあった。私はすぐにそのソフトメーカーのお客様相談窓口に電話をして、「実際にそのバグはどれぐらいの頻度《ひんど》で発生するんですか？」と聞いてみた。すると「特定のある条件でしか発生しませんので、ほとんどの人には起こりません」という回答が得られたため、私はそのソフト会社の株を買いだと判断して一気に購入した。

「○○神話の崩壊」などと刺激的な見出しが新聞に載って急激に下がった同社の株価はまもなく回復し、売却益を得ることができたのだが、これも窓口に電話する、という一手間をかけて実際に話を聞いたからこそできた判断である。

「ある商品が売れている」と投資を検討する企業のＩＲレポートに書いてあったとしたら、その商品を扱っている小売店、たとえばパソコンだったら家電量販店に電話をしてみる。

そして「在庫はどれぐらいありますか？」と聞いてみるのだ。「発売直後からすぐ売れ続けていて品切れ状態です」という返事であれば、その商品は本当に売れていると判断していい。しかし在庫がたくさんある様子で「いつご来店いただいても大丈夫ですよ」という返事であれば、そのパソコンは市場に出回っていても店頭在庫が豊富なだけで、実際には売れていない可能性が高い。

このように投資家的に考える習慣というのは、実際に自分の手足を使って、行動をしてみることで身につくスキルなのである。

私は投資先をどうやって決めるのか

ここで参考までに、私が投資家の立場から、どのような企業に対してならば投資をしようと思うのか、説明したいと思う。

基本的に私の投資先は、直接の知り合いか、あるいはその知人ぐらいの間柄の人になる。よく知らない人や、新聞などでしか知らない会社には、投資していない。

投資先を検討する際にも、いちばん重視するのは、経営者の人物像である。投資するときは、その人が自社や業界動向について話していることが本当かどうかをまず調べる。

まず足を運ぶのが、その分野の業界団体だ。電機、通信、化学、食品、自動車、流通といった日本経済を支える産業には、それぞれの産業別に必ず業界団体が存在する。その団体が入っている建物には、最新の資料や業界新聞、業界誌などが読める図書室が備わっていることも少なくない。実際にそこに行ってみて、業界レポートなどの資料を読み込むだけで、相当の知識を得ることができる。

だがやはり、投資を判断するうえでいちばん重要となる情報は、人的なコネクションをたどってその業界に造詣《ぞうけい》の深い人物を探し出し、直接話を聞くことでしか得られない。そして聞いた話が本当に正しいかどうか、さらに資料などにあたってひとつずつ裏づけをとっていき、納得いくまで調べるのだ。その手間を惜しんで、拙速に「何となく儲かりそう」と直感で投資しても、ろくなことにはならない。

会社を始めたいと出資を募《つの》る人は、「自分のアイディアは絶対にいける」と思っている人ばかりである。だからどんな困難が待ち受けているか、競合にはどんな会社があるのか、事業の弱みは何なのか、深く考え抜いていない人もいる。そういう人の場合は、こちらからどんどん質問をしていって事業のウィークポイントに気づいてもらわねばならない。

投資するかどうかのファクターでいちばん重要なことは、長い目で見たときにその産業や分野が成長すると予想できるかどうかだ。

私が投資している企業のひとつにリサイクル関連の会社がある。その会社は、コンサルティング会社出身の二人の若者が始めた会社で、今では売り上げ数十億円ほどに成長した。新しいリサイクル技術と企業をつなぐ、それまでになかったリサイクル全般の商社のような事業を行っている。

私がこの会社に2000年に投資したときは、環境技術やエコといえば聞こえがいいが、実態としては産業廃棄物の処理に絡《から》んで儲けようとする、暴力団などとつながりのある会社も少なくない業界だった。そのためこの業界に投資をしようと思う人はまれで、それどころか、むしろトラブルを恐れて大資本や大手企業が近づきたがらない業界だったと言っても良い。しかし私は、今後長い目で見た場合、リサイクル関連のビジネスは間違いなく伸びるだろうと確信し、投資を決めた。

さらに、起業したメンバーがマッキンゼーの後輩だったことも大きく関係している。共同設立者の一人は大学時代にITベンチャー企業を作り、経営の経験がある人物だった。かつ中学生のころから環境問題に関心があったという筋金入りの人物である。そして、もう一人は日本人でありながらアメリカの超一流大学を最優秀の成績で卒業していた。

テーマが時流に合っていてこれからニーズが確実にあり、さらに創業メンバーが優秀で実力がある。競合となる会社も古い中小企業が多く、なおかつグレーな領域も残っている業界なので大手も参入に慎重となれば、ここに投資しない理由はない、と判断したのである。

投資先をずらして決める

私が「投資をやってみよう」と思ったのは、東京大学の大学院で助手をしていたときのことだ。当時そこそこの給料をもらい、自宅から通っていたので食費や家賃もかからず、小銭を貯めることができていた。私の父親が株式投資を趣味でやっていたので、そこで自分もその小銭を使って投資をしようと考えたのである。

私の父親の職業は心理学者だった。それほど株式投資に入れ込んでいるわけではなかったが、時折《ときおり》不思議な判断をして、大きく儲けることができる人だった。

ある日、父親から、「最近学生がよく、飲み会で使う店に『天狗』を選ぶのだが、そんなに有名な店なのか?」と聞かれたことがあった。そこで私が「安くてそれなりにうまいから学生に人気があるよ」と答えたところ「じゃあ、株を買ってみよう」と取引を始めた。

当時、天狗(テンアライド)は店頭市場(現在のジャスダック)で株を公開していたが、父親が会社の株を買ってから、同社はどんどん業績を伸ばしていき、程なくして東証一部に上場した。父親はこのようにたまにしか株を買わなかったのだが、そのめったに買わない株式投資で大きく当てることが珍しくない人だった。私は父親のそうした株の買い方を身近に見ていたことがあって、「投資するかどうかは、本当に小さなきっかけに気づくかどうかが、非常に重要なことだ」と自然に考えるようになった。

私が投資を始めたときは、ちょうど「ウィンドウズ95」が発売されて「これからインターネットが社会を変える」と言われるど真ん中の時期だった。投資をする人々の間では、ウィンドウズ95が普及することにより、コンピュータのメモリが増産されることになると言われており、みな、必然的にメモリを作るメーカーの株が上がると考えた。

しかし私は「ちょっと待てよ」と思った。コンピュータの歴史を見ると、メモリの成長スピードは有名な「ムーアの法則」に従い、18ヵ月で2倍という驚異的なスピードで伸びている。その流れは今後、ますます速まっていくだろう。

だとすると、現時点で業績を伸ばしているメモリのメーカーに投資しても、コンピュータの世代が変われば、あっという間にそのメーカーの技術や設備が古くなってしまう可能性がある。「できるだけ長い目で見て伸び続ける産業を選べ」という投資の原則に従えば、メモリメーカーに投資するのは非常に危険ではないか、と考えたのだ。

この選択は正しかった。ウィンドウズ95がもたらす社会への影響の本質は、コンピュータの処理容量が大きくなることではなかった。

それまでのパソコンでは、別売りのモデム（パソコン用の通信機器）を使って電話回線につなぎ、自分で複雑な回線の設定をしなければインターネットにつなぐこともメールをやりとりすることもできなかった。それがウィンドウズ95は標準の機能としてネットワーク機能を備えており、誰もがデスクトップ上のカーソルをマウスで操作するだけで、インターネットに接続することが可能になっていた。

つまり、ウィンドウズ95の登場がもたらしたもっとも大きな社会的インパクトは、コンピュータが標準的にネットワークにつながることだったのだ。

そこで私は、ネットワーク関連の会社に投資することを決めたのだが、同じように考える人は私以外にもたくさん存在した。そのため、すでに代表的なネットワーク関連企業の株価はかなり上がっていた。そのため私は少し投資先を「ずらす」ことにする。

当時はまだ光ファイバーではなくISDN回線が中心の時代だった。そのISDNの敷設工事をするNECシステム建設（現・NECネッツエスアイ）という会社や、光ファイバーを作るための素材でシェアの40％を占めていた宇部日東化成という会社などに投資することにした。

世間の多くの人は気づかないぐらいのニッチなレベルで、しかし「これから伸びるに違いない」と思える会社に、思い切った金額を投資するようにしたのである。するとそのもくろみはみごとに当たり、投資した金額が140%ぐらいに増える結果となったのだ。

その経験で私は、株式市場という仕組みが、とてもよくできた、非常に合理的なシステムであることに気づいた。大学で日ごろ行っていた研究よりも、短期間で目に見える成果が出ることを、実感することができたのである。

「君はどっち?」「外資に行く」

当時の私は、投資家として生きることは考えていなかった。しかし、電子取引の専門家で現在は民法改正に携わっている内田貴《たかし》教授の授業を受けていたところ、電子取引がこれまでの系列取引を大きく変えると直感した。さらには、ネット社会が本格化することで、日本にこれからグローバリズムの波が本格的に押し寄せ、今後数年の間に、日本も一気に本格的な資本主義化の時代を迎えるに違いない、と確信したのだ。

この歴史的な変革期に、大学で傍観者《ぼうかんしゃ》として研究をしているのはつまらない。資本主義化の時代に自分も参加しないのは、とてももったいないことだ。このような結論に至り、研究者のキャリアを辞めて学部時代に内定をもらっていたマッキンゼーに行くことにしたのである。

学部時代にもマッキンゼーに行くか、大学院をスキップしていきなり助手になれるキャリアを選ぶか非常に迷った。しかし、当時の東大法学部の価値観では、「君はどっち?」というのが挨拶で、キャリア官僚か司法試験かが普通の進路であった。なかでも成績上位者が助手に誘われるというシステムで、民間、まして外資に行くなどというのは、ハズレ者だった。したがって、助手とマッキンゼーで迷うなどという者は「前代未聞」「正気の沙汰ではない」とまで、言われていた。

しかし、20年後の大学がどうなっているか、そのとき、法学部の伝統的な研究者の地位はどうなっているかと想像したときに、自分の人生に対する投資判断は、それほど難しくなかった。

投資銀行に行くか、マッキンゼーに行くかでも迷ったが、投資銀行は伝統的にどこもトップダウン、上意下達の企業文化だ。新卒で入社した社員は数年間、膨大な資料づくりに追われ、朝まで帰れないような日々が続く。一方でコンサルティング業界はもっと自由な気風があり、とくにマッキンゼーは部下が言ったことでもそれが正しい意見ならばすぐに採用される文化があった。学生時代にインターンでマッキンゼーに行ったときに、「よほど大学の研究室より民主的だな」と感じていたため、入社することを決めたのである。

奴隷の勉強、自由人の勉強

本書も終盤に近づいてきたが、私が若い人々に伝えたいことの中でもとくに強調しておきたいのが、「リベラル・アーツ」を学ぶことの重要性だ。

「リベラル・アーツ」とは、日本の大学でいえば、専門課程に上がる前の1〜2年生のときの教養課程での種々の講義のことだ。

リベラルとは本来、「自由」という意味である。つまりリベラル・アーツとは、人間が自由になるための学問なのだ。有名大学を卒業したというただの肩書を手に入れるためではなく、いかに大学でこのリベラル・アーツをきちんと学んだかが、これからの社会では大きな意味を持つと私は考えている。

リベラル・アーツでは、人類が歩んできた歴史や、過去の叡智《えいち》の結晶である哲学、芸術や文学、自然科学全般について勉強する。

幅広い分野の学問領域を横断的に学ぶことにより、「物事をさまざまな角度から批判的に考える能力」「問題を発見し解決する能力」「多様な人々とコミュニケーションする能力」「深い人格と優れた身体能力」などの力を身につけることを目指す。

リベラル・アーツの歴史と伝統は、古代ギリシャにまで遡《さかのぼ》ることができるほどに古い。1600年代初頭のアメリカ開拓においても、新大陸に上陸したピューリタンたちは、将来の自分たちのリーダーを育てるために、リベラル・アーツを根本においた教育機関を設立した（それが後のハーバード大学である）。

実はリベラル・アーツで学ぶ基礎的な素養が、投資家として生きていくうえでも、資本主義の仕組みを理解して物事を判断していくうえでも、非常に重要になる。私自身、大学で学んだリベラル・アーツの知識にコンサルタントの時代から何度も助けられてきた。

欧米の映画業界などでも、成功している俳優は、きちんとした大学を出ている人が多い。たとえば世界的に大ヒットした映画『ハリー・ポッター』シリーズでヒロインを演じて人気となったイギリスの俳優エマ・ワトソンは、名門、ブラウン大学の学生である。彼女は自分の出演料＝ギャラを作品ごとに額を決めてもらうのではなく、映画の興業成績や、ＤＶＤなどの売り上げに応じた成功報酬制にしたため、20歳にして20億円もの資産を持つようになった。

その逆の人もいる。芸能人やスポーツ選手で一時は莫大《ばくだい》な金額を稼ぎながら、自らの頭で考える力が足りないため、周囲に騙《だま》され稼ぎを搾取され、気がつけば一文無しになっている人の姿を報道などで知ることも珍しくない。

大学で学ぶ本物の教養には深い意義がある、という価値観は世界で共通している。

それは良い大学、良い会社に進めば人生は安泰、という日本でこれまで流布されてきた考え方とは何の関係もない。リベラル・アーツが人間を自由にするための学問であるならば、その逆に、本書で述べた「英語・IT・会計知識」の勉強というのは、あくまで「人に使われるための知識」であり、きつい言葉でいえば、「奴隷の学問」なのである。

昨今の大学では、企業への就職率を上げるために、上記の「奴隷の学問」の勉強を学校自体が推奨しているところがあるが、私からすればまったくの間違いだ。

私の起業論を学ぶ学生から、「将来、起業して成功するために、学生時代は何をやったらいいか」と聞かれることがある。どうやらベンチャーを設立して成功したすごい先輩を見ると、「学生時代からすごい活動をしていたのではないか」と思うらしい。

しかし成功した起業家に実際に聞いてみると、学生のときから起業のためにすごく努力をしていた、という人はほとんどいない。

そうではなくて、自分が長年興味と関心を抱いていた何かに、心から打ち込んでいるうちに、たまたま現在の状況につながっていった、というケースが多いのだ。だから私は、社会に出てからのステップアップやキャリアプランについて、学生のうちから考え続けることは意味がほとんどないと考える。

社会に出てから本当に意味を持つのは、インターネットにも紙の本にも書いていない、自らが動いて夢中になりながら手に入れた知識だけだ。自分の力でやったことだけが、本物の自分の武器になるのである。資本主義社会を生きていくための武器とは、勉強して手に入れられるものではなく、現実の世界での難しい課題を解決したり、ライバルといった「敵」を倒していくことで、初めて手に入るものなのだ。そういう意味で、ギリシャ神話などの神話や優れた文学が教えることは、人生の教訓を得るうえでも非常に有効だと私は考えている。

日本はこの15年で本質的に変化した

1995年（平成7年）、阪神・淡路大震災と地下鉄サリン事件という、日本のそれからの暗雲を暗示するような忌まわしい出来事が起こった。そのことを覚えている人なら、その後の15年ほどの間に、がらっと世の中が変わったという実感を多くの人が持っているのではないだろうか。

97年の秋には山一證券が自主廃業し、北海道拓殖銀行や日本長期信用銀行など、潰れるはずがないとされていた銀行までもがバタバタと倒産していった。当時、新聞紙面で「金融ビッグバン」という言葉が躍っていたが、それが本当に意味するところを正確に把握していた日本人はほとんどいなかったように思える。

その時点で、これから日本を襲う変化の波の本質を見抜いていた人々は、現在のデフレ不況をものともせずに儲け続けており、その変化に気づかなかった人々が「こんな日本に誰がしたのだ」と憤っているように私には思える。

こうした時代の働き方、キャリアを考えるうえで参考になるかもしれない一人の男がいる。

彼は大学を出て当時の日本長期信用銀行に勤めたが、その仕事があまりにもくだらないので辞めることを決意し、入社して1年もしないうちに退社する。当時の長銀といえば金融関係の会社の中でもトップクラスの人気を誇り、そこを辞めるなんてばかじゃないのか、と上司をはじめ周囲にはいろいろと言われたそうだ。

その後は数年間、某県の小さな進学塾で講師を務めた。しかしその塾での指導や教室運営やマーケティングで頭角を現し、数年で一講師から取締役に就任すると、教室の数を次々に増やしていき、県下一の進学塾へと成長させる。

その後、彼はその塾を辞めて、ケーブルテレビの会社の買収プロジェクトに参画する。それまでケーブルテレビの営業には専門的なスキルと知識が必要だとされていた。そのため、成功報酬制で高い給与の社員を雇い営業する会社がほとんどだった。

しかし彼は、初日に自分で実際にお客さんを訪ねて、ケーブルテレビの接続作業をしてみた。するとと実はそれほど高度なスキルは必要ないことが分かった。そこで誰でもできるようにマニュアルを作成し、大量のアルバイトを雇い、人件費を抑制しつつ契約から設置までやってもらえる仕組みを作り上げた。その結果、買収前の10年間でとった契約と同じ数の新規申し込みを1年間で達成し、顧客を倍増させることに成功したのである。彼は塾時代に身につけた、マーケティングや事業運営の仕組みを他業界に応用したのである。

その一方で彼がいた日本長期信用銀行は、１９９８年に破綻し国有化される。彼は20代半ばで家を買った。その家の居間のリビングで大きなテレビを見ていたら、長銀の入社試験で彼の最終面接をした社長が、国会に証人喚問されているニュースが流れた。彼はそれを見て、「あのとき辞めて、本当に良かった」と思ったそうだ。

そのままずるずると会社に残り、破綻後もそこにしがみついていたとしたら、「今ごろはどこかのコールセンターでインド人の上司の下で、金融商品を売る営業電話をひたすらかけていた可能性も十分にあった」というのである。

人生は短い。戦う時は「いま」だ

彼の生き方から我々が学べることは、時には周囲から「ばかじゃないのか」と思われたとしても、自分が信じるリスクをとりにいくべきだ、ということである。自分自身の人生は、自分以外の誰にも生きることはできない。たとえ自分でリスクをとって失敗したとしても、他人の言いなりになって知らぬ間にリスクを背負わされて生きるよりは、１００倍マシな人生だと私は考える。

リーマンショック以降の日本では、資本主義そのものが「悪」であるかのように見なされる風潮がある。しかし資本主義それ自体は悪でも善でもなく、ただの社会システムにすぎない。重要なのは、そのシステムの中で生きる我々一人ひとりが、どれだけ自分の人生をより意味のあるものにしていくかだ。

若手の経済評論家の中からは、「既得権益を握っている高齢世代から富を奪え」というような意見も聞かれるが、社会全体のパイが小さくなっているときに、世代間で奪い合いをすることには意味がない。才能がある人、優秀な人は、パイを大きくすること、すなわちビジネスに行くべきだ。

パイ全体が縮小しているときに、分配する側に優秀な人が行っても意味がない。誰が分配しようが、ない袖《そで》は振れないからだ。社会起業家とか公務員という選択は、社会に富が十分にあって分配に問題がないときなら意味があるだろう。だが分配する原資がなくなりつつあるのが、今の時代ではないだろうか。

自分が勤める会社に、働かないうえに新しい発想もなく、社内政治だけには長《た》けた、既得権益を握って離さないオジサンたちが居座って甘い汁を吸っている。そう感じるのならば、本書で述べたように自分の会社をぶっ潰すためのライバル企業を作ってしまえばいいのである。自分の会社が本当に不合理なシステムで動いているのならば、正しい攻撃をすれば必ず倒せるはずだからだ。

人生は短い。愚痴をこぼして社長や上司の悪口を言うヒマがあるのなら、ほかにもっと生産性の高いことがあるはずだ。もし、それがないのであれば、そういう自分の人生を見直すために自分の時間を使うべきだ。

若い人が何か新しいことにチャレンジしようとするときに、「それは社会では通用しないよ」としたり顔で説教する「大人」は少なくない。

しかしその言葉は、既得権益を壊されたくない「大人」が自分の立場を守るために発しているかもしれないのだ。自分の信じる道が「正しい」と確信できるのであれば、「出る杭《くい》」になることを厭《いと》うべきではない。本書で述べてきたように、人生ではリスクをとらないことこそが、大きなリスクとなるのである。

21世紀の「人間分子、あみ目の法則」

小中学生のときに読んだ一冊の本が、その後の人生の価値観を大きく左右するということがある。私にとっては、昭和を代表する知識人として知られ、後に岩波書店の取締役を務めた吉《よし》野《の》源《げん》三《ざぶ》郎《ろう》が、1937年に刊行した『君たちはどう生きるか』が「運命の一冊」だったといえる。

この本は雨の中、銀座のデパートの屋上で、父親を亡くした主人公のコペル君という少年が「おじさん」に語りかけるところから始まる。コペル君は、まるで甲虫《かぶとむし》のように列をなして道路を走る自動車や、雨にけぶる無数の家々の光を見て、「人間とは、分子のようにちっぽけな存在だ」と思う。そして彼は、自分が飲んで育ってきたミルクについて思いを馳《は》せ、はるか遠くのオーストラリアの乳牛から彼の口にそのミルクがやってくるまで、どれぐらいたくさんの人間が関わってきたかを想像する。そして眼に入るあらゆるものが、そうした無数の人間同士の絶え間ない関係によって存在することに思い至り、「人間分子の関係、あみ目の法則」と名付けるのである。これを聞いた「おじさん」は、コペル君にこう話す。

人間は人間同士、それこそ君のいう「人間分子の関係、あみ目の法則」で、びっしりとつながり、おたがいに切っても切れない関係をもっていながら、しかも大部分がおたがいにあかの他人だということだ。そして、このあみの目の中で得な位置にいる人と、損な位置にいる人との区別があるということだ。

これは気がついて考えてみると、たしかにへんなことにちがいない。へんなことにちがいないけれど、コペル君、これが争えない今日の真実なのだよ。君が「人間分子」といったように、人間と人間との関係の中には、まだ物質のつながりのような関係が残っていて、ほんとうにすみずみまでは、人間らしいあいだがらになっていないのだ。

お金をめぐっての争い、商売の争いは一日も絶えないし、国と国のあいださえ、利害が衝突すれば武力によって争う。——こういうことがまだなくなっていないのだ。「それはまちがっている。」と、君はいうにちがいない。そうだ、たしかにまちがっている。だが、それならば、ほんとうに人間らしい関係とは、どんな関係だろう。コペル君、ひとつよく考えてみたまえ。

『君たちはどう生きるか』は満州事変（一九三一年勃発《ぼっぱつ》）の後、日本がどんどん軍国化していく時代に書かれた。吉野源三郎は、この本を通じて、軍国主義に向かう日本に生きていかざるを得ない少年少女たちに、「自分の頭でじっくりと物事を考える大人になり、けっして希望を忘れるな」というメッセージを残したと私は考えている。そのメッセージは、執筆後70年以上経っても色あせず、むしろ今の時代だからこそ輝きを増しているようにも見える。

おじさんがコペル君に問いかける、「ほんとうに人間らしい関係とは、どんな関係だろう。コペル君、ひとつよく考えてみたまえ」という質問は、「はじめに」で述べたように「本物の資本主義」に覆われつつある、現在の日本に生きる我々一人ひとりの胸にも鋭く迫ってくるのではないだろうか。

これからの日本の社会は、ますます予測の難しい方向へと向かっていくことは間違いない。しかし本書で私が述べた本物の資本主義社会を生きるための「ルール」は、日本がグローバル化していけばいくほど、市場の荒波に翻弄されればされるほど、普遍的な場面で役に立つはずだ。

これからの混沌《こんとん》とした社会の中で、一人でも多くのゲリラ戦を戦おうとする同志に、これからも私は武器を配っていきたいと思う。

ここまでに手に入れた「武器」

★投資家として働くことで、世の中の見方が一変する。

★公開されている情報からでも、普通の人がやらない「一手間」をかけることで、大きな果実を手に入れられる。

★大学では「奴隷の勉強」に時間をかけず、自由人になるための「リベラル・アーツ（教養）」を学べ。

★本当の資本主義の時代に、「ほんとうに人間らしい関係」を探っていこう。

瀧本哲史（たきもと・てつふみ）京都大学産官学連携本部イノベーション・マネジメント・サイエンス研究部門客員准教授。エンジェル投資家。東京大学法学部卒業。東京大学大学院法学政治学研究科助手を経て、マッキンゼー&カンパニーにて、主にエレクトロニクス業界のコンサルティングに従事。内外の半導体、通信、エレクトロニクスメーカーの新規事業立ち上げ、投資プログラムの策定を行う。独立後は、企業再生やエンジェル投資家としての活動をしながら、京都大学で教育、研究、産官学連携活動を行っている。全日本ディベート連盟代表理事、全国教室ディベート連盟事務局長、星海社新書軍事顧問などもつとめる。著書『武器としての決断思考』（星海社新書）twitter@ttakimoto

僕《ぼく》は君《きみ》たちに武《ぶ》器《き》を配《くば》りたい

二〇一一年九月二二日 第一刷発行
二〇一一年一〇月六日 第二刷発行

著者 瀧本哲史《たきもとてつふみ》

発行者 鈴木 哲
発行所 株式会社講談社
東京都文京区音羽二丁目一二―二一
郵便番号一一二―八〇〇一
電話 出版部 〇三―五三九五―三五二二
販売部 〇三―五三九五―三六二二
業務部 〇三―五三九五―三六一五

ブックデザイン 吉岡秀典(セプテンバーカウボーイ)
本文データ制作 講談社デジタル製作部
印刷所 慶昌堂印刷株式会社
製本所 黒柳製本株式会社

●定価はカバーに表示してあります。乱丁本、落丁本は購入書店名を明記のうえ、小社業務部あてにお送りください。送料小社負担にてお取り替えいたします。この本についてのお問い合わせは、学芸局学芸図書出版部あてにお願いいたします。●本書のコピー、スキャン、デジタル化等の無断複製は著作権法上での例外を除き禁じられています。本書を代行業者等の第三者に依頼してスキャンやデジタル化することはたとえ個人や家庭内の利用でも著作権法違反です。●R〈日本複写権センター委託出版物〉複写を希望される場合は、事前に日本複写権センター(電話〇三―三四〇一―二三八二)の許諾を得てください。
●編集協力:大越裕(オフィス1975)

©TETSUFUMI TAKIMOTO 2011, Printed in Japan

ISBN978-4-06-217066-6

N.D.C.331.87 294p 20cm